D1066902

Mejor la ausencia

EDURNE PORTELA

Mejor la ausencia

Galaxia Gutenberg

Publicado por
Galaxia Gutenberg, S.L.
Av. Diagonal, 361, 2.º 1.ª
08037-Barcelona
info@galaxiagutenberg.com
www.galaxiagutenberg.com

Primera edición: septiembre de 2017
Segunda edición: septiembre de 2017
Tercera edición: noviembre de 2017
Cuarta edición: febrero de 2018
Quinta edición: octubre de 2018
Sexta edición: noviembre de 2018
Séptima edición (primera en este formato): septiembre de 2019
Octava edición: octubre de 2020
Novena edición: enero de 2021
Décima edición: octubre de 2021

Preimpresión: Maria Garcia
Impresión y encuadernación: Ulzama digital
Depósito legal: B. 15997-2019
ISBN: 978-84-17971-39-7

Lo encontraron muerto en una suite del hotel más lujoso de Bilbao. Estaba tumbado boca arriba en la cama, con el torso y los pies desnudos, calzoncillos blancos y unos pantalones rojos enroscados a la altura de sus pantorrillas. Tenía los ojos abiertos, también la boca. Había botellas vacías de vino, champán y coñac repartidas por la habitación, restos de comida en el suelo, tabletas vacías de somníferos en la mesilla, encima de la cama, en el baño.

No dejó ninguna nota. En su teléfono móvil había registradas varias llamadas perdidas. Todas a la misma persona: Amaia Gorostiaga, su hija.

PARTE I
(1979-1992)

1979

Jugamos a los papelitos. Aita escribe Kepa en uno, Aitor en otro, Aníbal en otro y Amaia en otro. Los hace bolitas y los mete en la gorra. Ama se pone un pañuelo en los ojos y aita mueve la gorra y ama no la encuentra. Nos reímos mucho. Ama coge la gorra y mete la mano dentro y saca la primera bolita. Se la da a aita y aita abre la bolita y grita ¡Aitor!, y el tato salta y dice ¡me toca, me toca! Ama vuelve a buscar la gorra, pero aita no le deja meter la mano y está así mucho rato. Y el tato Kepa dice jo, aita, para ya. Aita se para y ama mete la mano en la gorra y saca otra bolita y se la da a aita. Aita la abre y grita ¡Amaia!, y yo salto y doy chalos. Pero Kepa me da una patada y aita no lo ve y ama tampoco porque todavía tiene el pañuelo. Yo lloro. Entonces aita se enfada y Aníbal dice qué mierda, a mí no me tocó ir la última vez. Entonces ama le dice que mala suerte y que no diga palabrotas. Y Aníbal y Kepa dicen que no se quieren quedar con la abuela, que ellos también quieren ir, que también están de vacaciones. Y aita dice que se callen y nos vamos todos a la cama. Mañana hay que madrugar. Aita me dice que me va a despertar y me va a comer la tripita y darme cosquillas. Ama está contenta.

Está todo muy negro. Ama ha cerrado mi puerta. Cuando está aita, cierra. Hacen ruidos. La abuela me ha enseñado a contar ovejitas. Una ovejita, dos ovejitas, tres ovejitas. Me abrazo a Buni. Kepa dice que si se me sale un pie de la cama, el monstruo me lo coge y me lleva a su cueva. No puedo bajar de la cama sin luz porque sale el monstruo. Pero si salgo corriendo corriendo y abro la puerta y me subo a la cama de ama, entonces no le da tiempo a cogerme. Pero aita se enfada. Cuando no está aita, lo hago. Y ama me abraza y dormimos juntitas. Pero hoy está aita y si se enfada mañana no me hace cosquillas. Y no me lleva de excursión. Y le dice a ama que soy mala. Y ama se pone triste. Cuatro ovejitas, cinco ovejitas. El tato Aníbal me ha dicho que ha matado al monstruo. Pero Kepa dice que lo ha vuelto a ver. Seis ovejitas, siete ovejitas, ocho ovejitas. El tato Aníbal le ha pegado un coscorrón y le ha dicho mentiroso. Nueve ovejitas, diez ovejitas, once ovejitas, quince ovejitas, una ovejita. Y el tato Aníbal es el más grande, más grande que Aitor y mucho más grande que Kepa. Dos ovejitas, tres ovejitas... El tato sabe.

Aita me despierta con pedorretas en la tripita y yo me río mucho y le doy en la cabeza con mi Buni. La leche con galletas está muy caliente y ama me dice que me dé prisa, que aita se va a enfadar. Pero aita no se enfada. Ama me pone el vestido de flores y aita me dice princesa. Esperamos a la abuela porque si no, no nos podemos ir. Dice que Aníbal es un... es un... que es malo y que Kepa no le hace ni puto caso. Ama le dice madre, la niña, y la abuela dice que perdón y que soy muy lista. No me contesta cuando le pregunto la palabra que no he entendido. Nos vamos y ellos se quedan enfadados. Con aita jugamos a las carreras. Cuando adelanta le gritamos ¡pisa aita, pisa! A ama no le gusta el juego. Llegamos a las casetas donde están los señores con las metralletas. Ama se da la vuelta y nos dice que estemos callados. Yo le pregunto por qué. Aita saca los cuadernitos y se los enseña al señor. Otro señor se acerca a la ventanilla de ama y mete la metralleta dentro. Ama le dice por favor, hay niños. El señor no dice nada y nos mira. Aitor le saca la lengua y el señor le dice a mi madre algo de Aitor que no entiendo pero es una palabra fea porque aita le insulta después, le dice algo de puto pero el señor ya no le oye porque nos hemos ido. Ama le riñe a Aitor, pero aita dice que ha hecho bien. Llegamos a casa del tío Josu y aita saca muchas cosas del maletero. El tío está muy contento y sus amigos los señores de las barbas también. El tío Josu me acaricia la cabeza y me dice que cada día estoy más guapa y más mayor. Y que cuántos añitos tengo. Yo le digo que cinco. Aita le dice a ama que nos lleve al jardín a jugar. Ella nos dice que nos vayamos, pero aita le dice que ella también se vaya. Ama ya no está contenta. Me riñe porque me ensucio con la tierra y el verde. Lloro. Después comemos con el tío Josu y los señores. Me aburro. Aitor está jugando a tirar monedas a una rana con un señor y a mí no me dejan jugar. Aita está en una habitación con el tío y me dice que me vaya y busque a ama. Pero ama no me hace caso. Está en el jardín dormida con un vaso en la mano. Me da miedo ensuciarme si juego con la tierra. Me siento en una silla muy alta y la miro. Ama es guapa. Me gusta mucho su pelo rojo. De mayor lo quiero tener como ella. Pero el mío es negro. Y ama me lo corta. Y el suyo es muy largo. Aita a veces la llama leona. Y ama se ríe. Otras veces la llama cosas malas. Y ama llora mucho. Entonces aita no duerme en casa y yo me meto con ella en la camita.

Pasa el rato. Aita viene y dice que nos vamos a comprar cosas para cuando vengan los Reyes Magos. ¡Qué bien! Pero ama no se despierta. Aita le pega un cachete y ama se asusta. Aita la riñe y ama no dice nada. Nos despedimos del tío Josu y de sus amigos. Nos vamos y compramos muchos chocolates y quesos y también muchas botellas para aita y ama. Y nos vamos a casa. Los señores de las metralletas le vuelven a pedir a aita los cuadernitos. Aita les dice una mentira, que no ha comprado nada. Yo le pregunto por qué. Ama le dice que un día le van a pillar. Aita le dice que se calle. Ama le pregunta algo sobre el tío Josu. Aita le dice otra vez que se calle. Ya no jugamos a las carreras. Me quedo dormida y aita me lleva a cuchus a la cama.

***

Esta noche llegan los Reyes Magos. Aníbal viene a sacarme de la cama. Aita y ama están dormidos. No nos oyen. Salimos despacito de la habitación. Vamos al salón a escondernos. Los tatos están ya ahí. Estamos los cuatro mirando por los cristales de la puerta. Pili nos reñirá por dejar los dedos marcados.

–Ssshhh, me dice Kepa.

–Ssshhh, le digo yo.

–Ya vienen, les oigo, dice Aníbal.

Estoy muy nerviosa. Hay sombras muy grandes detrás de la puerta. Están en el pasillo. ¡Los Reyes Magos están en el pasillo! Huele raro. Son los camellos. Si se hacen caca en el pasillo Pili también se va a enfadar. No le gusta limpiar caca. Quiero abrir la puerta, pero Aníbal me coge muy fuerte.

–Quiero verlos.

–No, que se enfadan y no dejan los regalos, me dice Aníbal.

–Pero ¿por qué? Quiero verlos.

–Que no, tonta, que no podemos, me dice Kepa.

Hacen ruidos en la salita de jugar. Seguro que están dejando los regalos. Cuánto tardan. Ay, ya vuelven las sombras. Se paran delante de la puerta.

–Me hago chis, digo bajito.

–Shhhh, calla, meona, me dice Kepa.

–Espera, tata, que ya se van. ¿Habéis oído la puerta?, dice Aitor.

–No, digo yo.

–Yo sí, dice Kepa. Se han ido. ¡Vamos!

El tato Aníbal sale corriendo a la salita de jugar. Nosotros también. Yo llego segunda. Enciende la luz y ¡sí! Está todo lleno de regalos. Aníbal se pone a gritar.

–¡¡Ya están!! ¡¡Ya han venido los Reyes!!

–Ssshh, le digo. Aita y ama te van a reñir.

Pero aita y ama vienen y están contentos. Se ríen.

–Ven, Amayita, me dice aita. ¿Has visto esto?

Salimos todos al pasillo a mirar y hay huellas en la alfombra.

–¿Cómo han entrado los camellos, aita?

–Son magos, bonita, pueden hacer cualquier cosa.

Aita me coge por los aires y me lleva volando a la salita.

–¡Me han traído una bici!

Me deja en el suelo y entre los dos le quitamos los papeles.

–No es una bici, canija. Es un triciclo, me dice Kepa.

Me subo a la bici. Le doy a los pedales y me choco con los regalos. Los tatos se quejan, pero aita se ríe y me dice que después de desayunar iremos con mi bici al parque.

1980

Ama está muy guapa hoy. Lleva el vestido verde. Parece una de la tele. Se lo dice Pili y ama se ríe.

–Pareces una de esas de la tele, Elvira. ¿Dónde vas tan guapa?, le dice.

–Qué cosas tienes, Pili. No se te olvide darle la merienda a la niña, le dice ama.

Me gusta quedarme con Pili. La quiero mucho. Hago lo que quiero y me da pan con chocolate, con mucho chocolate. Ama después la riñe porque dice que estoy tordita y que la profesora de ballet me pellizca el culo y dice que nunca podré ser bailarina. Yo me pongo triste. Pero aita me dice «tordo, tordo, cara pequeña y culo gordo». Y yo me río. Pili habla por teléfono y yo leo mis tebeos. Mortadelo y Filemón. Me gusta Mortadelo. La escucho decir cosas de mi madre por teléfono:

–Sí, ha salido. Buenoooo, cómo iba. A Bilbao, supongo. A saber. El marido lleva días sin aparecer.

Es verdad. Aita no viene a casa. Ama dice que está de viaje. Pili dice que anda en cosas. Se lo dijo a esa que la llama cuando ama no está:

–Sí, ya sabes lo que se dice.

–...

–Sí, sí, eso de su primo, el que se marchó. A mí me da igual, yo no sé nada. Se llevan a los niños allá a veces.

–...

–Sí, sí, como lo oyes.

Pili me vio en la puerta de la salita escuchándola y se enfadó. Ahora cierra la puerta, pero yo todavía la oigo. No se lo digo a ama porque se va a enfadar con Pili. Y yo la quiero mucho.

–Pili, ¿sabes dónde está mi aita?, le pregunto.

–Hija, pregúntaselo a tu madre, me dice.

–Pero tú le has dicho a ésa que no aparece y el otro día le dijiste otras cosas, le digo.

–Te he dicho mil veces que no escuches las conversaciones de los demás, que es de mala educación, me dice.

–Mi abuela dice que hablar mal de otros también es de mala educación, le digo.

Pili se enfada conmigo y me dice que me vaya a mi cuarto. Le digo que es hora de merendar. Me da un pedazo de pan con muy poco chocolate. Y dice «mocosa» y no sé qué más que no entiendo. No me voy. Leo mi tebeo de Mortadelo y Filemón. Me gusta Mortadelo.

–Pili, ¿cuándo llega ama?

–Y yo qué sé.

–¿Ya no me ajuntas?

–Eres una impertinente.

–¿Y eso qué es?

–Maleducada. Y respondona.

–Jo, Pili, no me riñas, que lloro.

Y me pongo a llorar. Pili me acaricia la cabeza. Me da un trozo de chocolate más.

–¿Cuándo llegan los tatos?

–En media hora. Y más vale que tu madre llegue también.

Pili y yo vemos la tele. No me gusta la Gallina Caponata. Quiero que salga Gustavo, el reportero más dicharachero de Barrio Sésamo. Oigo al tato Aníbal abrir la puerta de casa. Tiene llaves porque tiene doce años. Yo no porque sólo tengo seis. Le oigo en el pasillo. No viene a la salita a saludarnos. Se va a su cuarto. Quiero ir a darle un besito. Oigo a Kepa y Aitor. Se han quedado en el pasillo. Otra vez se están peleando. Pili dice que se caga en un santo. No sé en cuál. Está enfadada otra vez. Mira su reloj. Dice que les aguante su madre. Se pone el abrigo. Me da un beso. Se va.

–Pili, ¿dónde vas?

Pili no contesta. Estoy sola en la salita. Aníbal no sale de su habitación. Tengo miedo. Si Aitor pega mucho a Kepa, Kepa después me pega a mí. Voy corriendo a la habitación de Aníbal. En el pasillo Kepa me pone la zancadilla. Me caigo y veo todo negro.

Me despierto en mi camita. El tato Aníbal está acurrucado a mi lado. Me duele mucho la cabeza. Me quedo dormida.

1981

No quiero ponerme el uniforme. Tiene color de caca. No conozco a ninguna niña. Me miran mal. Ama me dice que así no tendré que aguantar a todos los chicos tontos del cole y que Gregorio no me pegará más. Pero yo prefiero pegarme con Gregorio y coger renacuajos en la charca. Aquí no hay charca, ni campa, ni chicos. Ya no veo a los tatos. Aquí hay monjas y un patio feo y muchas niñas tontas. Ama me dice que así no tengo que coger el autobús y que en cinco minutos andando estoy en el cole. Pero a mí me gusta el autobús y ser la primera en la cola y coger los sitios de atrás para cuando llegan mis amigas. A los tatos tampoco les gusta su nuevo cole. Aitor dice que la culpa de todo la tiene Aníbal porque le han echado y ya no nos podíamos quedar. Pobre tato. Está muy triste. Seguro que no es su culpa.

La dire del cole es monja y tiene bigote. Me llama María. Yo le digo que me llamo Amaia. Ella dice que en mi carné dice María. Pero es mentira. Dice Miren Amaia, que me lo cambió aita. Y ella dice que eso de Miren no existe y que Amaia no es un nombre cristiano. Nos da sociales y cuando pasa lista dice María Gorostiaga y yo no respondo.

–Señorita Gorostiaga, me dice.

–Sí, le digo.

–Le pido que responda cuando llame su nombre.

–No he oído mi nombre, le digo.

Ella dice algo de mi padre, pero no la entiendo. Y después me saca al pasillo un rato. A mí no me importa. No me gustan las clases de sociales. Pero me aburro en el pasillo sola.

Hoy le traigo la nota de ama para el lunes porque vamos a visitar al tío Josu. Ama me dice que se la dé al llegar a clase y que no le cuente nada. Se la doy y me voy a mi sitio.

–Acérquese, señorita Gorostiaga.

Me acerco.

–¿Cómo que va a faltar? ¿Dónde la llevan sus padres?

–No sé. Lo que pone en la nota, le digo.

–La nota no dice nada. No se puede faltar a clase así como así. Dígale a su madre que me llame.

Vuelvo a mi sitio. En el cole no decían nada cuando faltaba un día. Igual ahora ama se da cuenta de que el cole era mejor. No me gusta la dire, ni la profe de mates, ni la de labores. En el cole no tenía que coser. Ni ir a misa. Y podía jugar al fútbol. Y coger renacuajos.

***

Ya es lunes. Esta vez aita nos ha elegido a mí y a Kepa. Hace mucho que no jugamos a los papelitos. Ahora aita decide. Con Aníbal se volvió a enfadar el sábado porque alguien le dijo a ama que le vio con los del parque y ama se lo dijo a aita. Entonces aita le dijo que no quería volverle a ver con esa gente. Y Aníbal le dijo que no tenía derecho a decirle nada porque nunca estaba en casa. Entonces aita ¡plaf!, le pegó un sopapo. Aníbal se fue dando un golpe muy fuerte a la puerta y ama y aita empezaron a darse gritos. Aitor salió de su habitación y les dijo que estaba haciendo deberes y que no gritasen. Entonces aita ¡plaf!, le dio otro sopapo a él y nos dijo a Kepa y a mí que nos llevaba a nosotros a Francia. Si nos portábamos bien, claro. Yo me he portado bien. Kepa me pegó ayer, pero aita no lo vio porque no estaba y ama estaba dormida, así que no está castigado. Me gustaba más jugar a los papelitos.

Salimos de casa muy temprano. Me llevo a Buni y me quedo dormida. Me despierta Kepa.

–Ese conejo es una mierda, me dice.

–Deja a tu hermana en paz, le dice ama. Y no digas palabrotas.

–Es que está todo sucio, ama, y lleno de babas. Y mierda no es una palabrota.

–Kepa, respeta a tu madre, dice aita.

Yo me abrazo más a Buni.

–No está sucio, hijo, está viejito, le dice ama.

–Se lo deberías tirar, Elvira. Ya es demasiado mayor para andar con la mano siempre metida en ese muñeco, dice aita.

A mí me dan ganas de llorar, pero se van a reír de mí, así que me aguanto. Todos se callan y yo me hago la dormida, abrazando a Buni. No abro los ojos cuando paramos en la frontera. Tampoco cuando aita se enfada porque se ha perdido. Le pide a ama que saque el mapa que tiene escondido debajo del asiento. Kepa le pregunta por qué esconde el mapa y aita le dice que se calle. Tardamos mucho pero yo no abro los ojos hasta que el coche se para y aita abre mi puerta, me acaricia la cabeza y me da un besito en la nariz.

La casa del tío Josu es diferente a la anterior. Salimos del coche al jardín. El tío Josu está cerrando una puerta muy grande. Nos da besos a todos. A aita le da un abrazo y le dice que le están esperando. Pasamos a la casa. Hay dos hombres con barbas que no nos saludan. Cuando entramos se van a una habitación. Aita y el tío se van con ellos.

–La última vez, dice ama bajito. La última vez.

–¿Qué es la última vez, ama?, le pregunta Kepa.

–Que venimos, hijo. Id al baño y nos vamos a dar un paseo a la playa.

Kepa va primero al baño y después yo. Es un baño raro. En la bañera hay bolsas negras. Hago chis muy rápido y salimos.

Vamos hasta la playa. No hay gente porque no es verano, pero hace sol. Andamos mucho rato. Ama no dice nada, pero parece contenta. Kepa y yo recogemos conchitas. Las vamos metiendo en el bolso de ama. Viene una ola grande y Kepa se moja las zapatillas. Yo me río y él me tira arena, pero no me da. Corremos mucho por la playa. Ama nos espera sentada en una roca. Tengo hambre y sed.

–Ama, tengo hambre, le digo.

–Y yo, dice Kepa.

–Vale, vamos al paseo a ver si encontramos algo para comer, nos dice.

El paseo es muy largo y muy bonito. Vemos una cafetería con muchas ventanas y entramos. Nos sentamos a una mesa desde la que vemos el mar. Ama pide sándwiches y Oranginas. El camarero sonríe mucho y le dice cosas en francés. Ama no entiende nada pero también sonríe mucho. Kepa y yo sacamos las conchitas del bolso de ama. Yo las ordeno por tamaños y envuelvo cada montoncito en una servilleta. Kepa me deja hacerlo. No me pega ni me insulta. Traen los sándwiches y están muy ricos. La Orangina también. Me encanta la Orangina. Nos quedamos un ratito en la cafetería. Después ama me acompaña al baño. Cuando va a pagar el camarero le sigue diciendo cosas, pero ama todavía no entiende.

–Qué pesado ese tío, dice Kepa.

–Hijo, no hables así. No es un tío, es un señor muy amable.

Vamos caminando hacia la casa. Ama no se acuerda de cuál es. Damos muchas vueltas por el barrio. Kepa dice que la puerta grande por donde hemos entrado con el coche es roja. Yo no me acuerdo. Ama tampoco. Al final vemos una puerta roja y ama llama. Abre el tío Josu.

–¿Dónde coño estabais, Elvira?

Ama no dice nada.

–Ha dicho coño, me dice Kepa al oído.

A mí me entra la risa. El tío Josu nos hace un gesto para que pasemos a la casa. Aita está con los dos hombres en la mesa del salón. Ellos también han comido. Hay muchos platos sucios y copas. Aita se levanta de la mesa. No nos dice nada. Coge a ama del brazo y se van a una habitación al lado del salón. Aita cierra la puerta suavecito. Se cree que así no le oímos, pero sí le oímos porque grita mucho. Le dice a ama «qué te crees que estamos haciendo aquí» y luego la llama imbécil y no sé qué más. Los hombres barbudos nos miran muy serios. Yo tengo miedo. Kepa me agarra la manita. La suya está muy fría y pegajosa.

–Venid, que os voy a enseñar algo, dice el tío. Nos sonríe, pero sólo con la boca.

Yo no me quiero mover. Kepa tampoco se mueve. Miro unas fotos que hay en la pared. Son hombres en blanco y negro y todos tienen caras muy tristes. Oigo la voz de aita pero ya no entiendo lo que dice. Kepa me aprieta más la mano.

El tío nos coge de los hombros y nos empuja un poquito hacia la puerta de cristal del salón. Salimos a un patio con muchas plantas. ¡Hay un perrito!

–Ésta es Beltza, nos dice el tío Josu. Tiene un añito. O sea, es como tú de mayor, Amaia.

Yo no entiendo, pero no digo nada. Entonces el tío dice:

–Cada año de un perro son seis de una persona.

–Pero yo tengo siete, le digo.

–Bueno, pues por hoy no eres la chiquitina de la casa, es Beltza.

Beltza es muy bonita. Es negra y marrón. Tiene una oreja en punta y la otra doblada. Se alegra mucho de vernos: da grititos y se pone a dos patas. El tío la suelta y viene corriendo hacia mí. Me pone las patas encima y me tira al suelo. Pero no me hago daño. Beltza me da besos con su lengua gigantesca. ¡Qué cosquillas! Me río mucho. Kepa también. La acaricia. Beltza juega mucho. Nos pisotea con sus patotas. Me gusta cómo huele y es muy suave. Después de un rato vienen aita y ama. Aita trae en la mano una bolsa negra como las de la bañera. Yo me acuerdo de que aita estaba riñendo a ama y me siento mal. Voy corriendo y me abrazo a ella. La cojo de la mano y la llevo donde Beltza, para que le dé besitos y la haga reír como a mí. Pero no quiero que aita venga.

–Venga, nos vamos, dice aita.

–Espera aita, vamos a jugar con Beltza, le dice Kepa.

Yo le voy a decir a Kepa bajito que aita no puede jugar con la perrita, que la va a hacer daño. Pero como aita no se mueve, no digo nada.

–He dicho que nos vamos.

Ama acaricia un poco a Beltza. No dice nada. Kepa y yo nos despedimos con besitos de ella. También al tío Josu le damos un beso. Ama no dice nada a nadie. Nos vamos.

En el coche acaricio a Buni, froto mis manos contra él para que huela a Beltza.

1982

Salgo del cole. Pili me está esperando con la merienda y la bolsa de ballet. Yo quiero ir a casa a merendar porque está lloviendo, pero Pili dice que no podemos ir a casa.

–Pero ¿por qué?

–Niña, no empieces con el pero por qué. No podemos y punto. Te comes el bocadillo en los soportales antes de subir a ballet.

–Jo.

–Ni jo ni ja ni jodra.

Me gusta bailar, pero no me gusta la clase de ballet. Me aburro mucho y Marucha siempre se mete conmigo. Por lo menos veo a Bego. A ella también le dice que está gorda. Y Bego no está gorda. Es muy guapa y tiene el pelo igual de rojo que ama. Se parece a ama más que yo. Me gusta Iker, el hermano de Bego y a Bego le gusta Kepa. Yo le digo que Kepa no es bueno, pero a ella no le importa. Ella me dice que Iker es un mongolo, pero es mentira. El otro día después de ballet fui a casa de Bego. Bego se fue al baño. Iker me enseñó sus cuadernos secretos. Empezamos la clase: primera, segunda, tercera, cuarta, quinta. Nos pasamos así cada clase: primera, segunda, tercera, cuarta, quinta. Iker tiene diez años, como Kepa, pero Iker es mucho más listo que él y no me llama canija. Tiene cuadernos con muchas historias y dibujos. Yo le cuento que he escrito un cuento sobre hormigas y él me pide que se lo deje. A mí me da vergüenza, pero igual un día cuando vuelva a casa de Bego se lo llevo. Ama me dice que es muy bonito y que escribo muy bien, pero la Herminia no quiso presentarlo al concurso. Marta, que ha repetido tercero y que sabe muchas cosas, dice que la Herminia es tortillera. Yo le pregunto qué es eso y me dice que le toca el chichi a las chicas. A mí me da mucho asco. La Herminia huele a lejía y a ajo. Iker huele a Nenuco y me ha dicho que me va a dejar libros. Libros y no tebeos. Kepa es un bruto. Sólo sabe dar patadas y comerse los mocos y tiene una letra horrorosa. Odio a Kepa. Primera, segunda, tercera, cuarta, quinta. Plié, demiplié, plié, demiplié. Granplié. Plié, demiplié, plié, demiplié. Jo, vamos a estar toda la clase como ranas haciendo pliés. Bego está delante de mí. Me acerco sin que Marucha me vea y le digo croack croack. Ella no se quiere reír, pero se ríe. La veo en el espejo. Marucha nos ve. Viene con su palo y nos da con él en las pantorrillas cuando nos toca ponernos en cuarta. Pica y duele. No quiero volver. Bego está enfadada conmigo. Pili me está esperando, así que no puedo hablar con ella.

–Adiós, Bego.

Bego no dice nada.

–Perdona, Bego. No quería que Marucha te pegara.

Bego no me contesta.

Pili me pone el chubasquero. Vamos despacito a casa. Hoy Pili no tiene prisa. Se lo pregunto.

–¿No tienes prisa, Pili? ¿Por qué vamos tan despacio?

–Hija, qué sabelotodo eres.

–Tengo hambre. ¿Tienes chocolate?

–No, bonita, te lo has comido todo antes y no he pasado por casa.

–¿Y qué has hecho todo este rato?

–¿Y a ti qué te importa?

Pili está de mal humor, así que no le pregunto más. Le cojo de la mano porque las mías están muy frías y las suyas están siempre muy calientes.

–Perdona, bonita. Me he ido a tomar un café con una amiga.

Nos quedamos calladas hasta llegar al portal. Pili toca el portero. A mí me extraña pero no pregunto nada porque hoy parece que no le gustan mis preguntas. No contesta nadie. Vuelve a tocar el timbre dos veces más. Al final contesta ama.

–¿Sí?

–Elvira, soy Pili, ¿te subo a la niña?

–No hace falta. Abro la puerta y que suba ella sola.

–¿Estás segura?

Se oye el bzzzz de la puerta. Pili la empuja y la sujeta para que yo pase. Me da besitos de abuela, de los que hacen ruido y que a mí me gustan mucho, aunque a veces le digo que no me los dé.

–¿Por qué no subes, Pili?

–Nada, bonita. Tú sube a casa y te vas a tu cuarto.

–Pero tengo hambre.

–Obedéceme, Amaia. Te vas a tu cuarto en cuanto entres en casa.

Ama me está esperando en la puerta. Tiene los ojos de huevo duro y la nariz muy roja. Y está despeinada. Me abraza. Yo no sé qué hacer.

–Me voy a mi cuarto a hacer los deberes.

Ama cierra la puerta y me sigue abrazando.

–¿No tienes hambre, hija?

–Sí, pero Pili me ha dicho que me vaya a mi cuarto.

–¿Y qué más te ha dicho Pili?

–Nada más. ¿Por qué? ¿Dónde están los tatos?

–Aitor y Kepa en casa de la abuela. Aníbal en su habitación. Aita está un poco disgustado, princesa, pero no contigo. Vete a dejar tus cosas al cuarto, pero entra despacito, no le molestes.

–No, ama, yo no quiero, yo no...

–¿Qué le estás diciendo a la niña?

Aita me asusta. Ha salido del cuarto.

–Nada, no le estaba diciendo nada.

–Amaia, bonita, ¿tienes miedo de tu aita? ¿Qué te han dicho de tu aita? ¿Te ha dicho algo ese hijoputa?

No entiendo la pregunta. No sé qué decirle.

–Amadeo, por favor, no digas eso. Déjalo ya, por favor.

–¿Sabes la última de tu hermano?

Yo no puedo hablar. Niego con la cabeza.

–Le han vuelto a expulsar del colegio. Catorce años y ya es un delincuente.

–¿Delincuente yo? ¿Tú me vas a llamar a mí delincuente?

Aníbal ha salido también de su cuarto. Tiene la cara muy roja. Yo le quiero saludar, pero no me sale la voz. Me quiero acercar a él, pero no me puedo mover. Estoy temblando y no veo bien. Todos gritan. El tato Aníbal grita a aita. Aita le grita a él y a ama. Ama grita no sé a quién porque no grita con palabras. Aita la llama puta y levanta la mano para pegarla. El tato le coge la mano y se la baja y le da un puñetazo. De repente es más alto que aita y más fuerte. Aita se queda parado un momento. Pone una cara muy rara. Pero le devuelve el puñetazo a Aníbal y le da otro y otro y otro. Ama intenta pararle y también le da un puñetazo a ella. Yo siento calor en las piernas. Me he hecho chis. Lo digo.

–Me he hecho chis.

Nadie me oye. Siguen gritando y pegándose.

–¡Me he meado!, grito yo también.

Veo todo negro. Todo negro. Sólo negro.

Me despierto. Estoy en mi cama. La puerta está abierta. Desde aquí veo la cama de aita y ama. ¿Están los dos? No distingo bien. Me bajo de la cama. Me duele la cabeza por detrás. Me la toco. Tengo un chichón. Cojo a Buni. Meto mi mano izquierda en él y lo aprieto contra mí. Me acerco a la cama grande. Parece que no están ni aita ni ama. Voy al lado derecho. Toco y está plano. No está ama. Me da miedo que esté aita. Voy alrededor de la cama despacito, llego al lado izquierdo. Poso la mano muy suave en la parte de abajo. No hay pies. Subo la mano. No hay nadie. No hay nadie. No encuentro la luz. Paso la mano por la pared. Siento bum, bum, bum, dentro. Se me taponan los oídos. Por fin encuentro la luz. Enciendo. La cama está vacía. Grito ¡Ama, ama! Nadie responde. ¡Ama! Oigo a lo lejos ¡Amaia! Es Aníbal. Salgo corriendo al pasillo. Él sale de su habitación. Tiene la cara morada.

–¿Dónde está ama?

–Tranquila, txiki, creo que está en el salón.

–¿Y aita?
–Se fue anoche.
–Te pegó mucho.
El tato no dice nada.
–¿Puedo ir a ver a ama?
–No la despiertes, txiki. Está malita.
–Aita la pegó. Yo me hice chis. Se enfadó más porque me hice chis y luego me dormí. Pero me dormí de verdad. No me hice la dormida... no quería...
–Sí, bonita.
Se agacha y me coge de los hombros. Me acaricia la cabeza.
–Aita paró cuando te vio en el suelo. Paró y se fue.
–¿Y ama?
–Ama se puso mala después y se quedó dormida en el sofá.
–¿Y si la llevamos a su cama? Así dormirá mejor.
–No entres al salón, Amaia. Espera a mañana. Vete de vuelta a dormir.
–Tengo miedo.
–Pero si ya no hay monstruo debajo de la cama. Y tienes a Buni.
Miro a Buni. Le falta un ojo. Se le está saliendo el relleno por todos sitios. No quiero volver a la habitación, pero no lo digo. Quiero que vea que ya soy mayor.
–¿Qué te parece si te acompaño un rato, hasta que te quedes dormida?
–Vale.
Le doy la mano y vamos juntos a mi cuarto. Me meto en la cama y el tato me cubre con las sábanas. Se sienta en la esquina y me acaricia el pelo. Cierro los ojos y aprieto a Buni contra mí. Estamos así un buen rato. Yo no abro los ojos aunque no duerma. Oigo al tato respirar fuerte y después llorar despacito. Le dejo que llore y que me acaricie la cabeza. No le oigo marcharse.

Me despierto. Es sábado. No tengo que ir al cole. Me acuerdo de la pelea. Me levanto deprisa y me asomo a la habitación. La cama sigue igual. Voy al salón. Ama está todavía tumbada en el sofá. Me acerco. En la mesa hay un cenicero con muchas colillas y una botella vacía. Le acaricio el pelo. Quiero que se despierte. Huele raro. Tiene marcas en la cara.

–Ama, ama, le acaricio la cara suavecito.

Ama hace un ruido raro. Parece que le duele algo. Se mueve un poco, pero no abre los ojos. Me quedo un rato con ella. No me atrevo a hablar otra vez. Salgo del salón y voy a la habitación de Aníbal. Hay luz. Ha subido las persianas. Está tumbado en la cama boca arriba, mirando al techo.

–Hola, tato.

–Hola, txiki.

–Ama no se despierta.

–Déjala. Necesitará descansar.

–Huele raro.

–Ya.

–¿Es verdad que te han echado del cole?

–Sí.

–Pero ¿por qué?

El tato me mira muy serio. No me responde.

–¿Tú sabes a qué se dedica aita?

–Es abogado.

–Sí, pero ¿sabes a qué se dedica?

–No entiendo.

–Nada, déjalo. ¿Y sabes por qué ama no se puede levantar hoy? ¿Qué hizo ayer cuando se fue aita?

–¿Se durmió?

–Bah, déjalo. Eres demasiado pequeña para entender algunas cosas.

–Ya tengo ocho años.

–Por eso.

El tato no me mira. Me voy a mi cuarto. Cojo a Buni. Le saco el ojo que le queda. Es un botón. Agarro sus orejas y estiro con fuerza. Me quedo con una en la mano. Estiro de cada una de sus cuatro patas. No consigo arrancar ninguna, pero sí su cola redondita. Vuelvo a la habitación de Aníbal con Buni. Se lo tiro todo encima de la cama. También el botón. Aníbal coge los pedazos y me mira con ojos muy grandes.

–Amaia, bonita, pero ¿qué has hecho con Buni?

–Soy mayor. No lo necesito.

Aníbal se queda mirando los pedazos de Buni. Me voy de su habitación. No quiero estar con él. Entro en el salón.

–Ama, despierta. Quiero desayunar.

Ama abre un poco los ojos. Parece que la luz le hace daño. Se pone la mano por encima.

–¿Por qué no le dices a Pili?

Su voz suena muy ronca. No parece su voz.

–Porque es sábado, ama, y Pili no está.

–Póntelo tú, bonita. No me puedo levantar.

–Hueles mal, ama.

Ama se pone un cojín por encima de la cabeza. Dice algo pero no la entiendo. No me gusta ama cuando está así.

Pasa mucho rato. Suena el teléfono. Ama no se levanta. Aníbal tampoco. Voy a la cocina y lo cojo yo.

–¿Sí?

–Amaia, bonita: ¿están tus padres?

–Hola, abuela. Está ama, pero está dormida.

–Despiértala.

–Es que no me hace caso.

–Dile que soy yo.

Dejo el teléfono y voy donde ama. La sacudo un poco. Ella vuelve a hacer un ruido raro.

–Ama, la abuela está al teléfono.

Ama se levanta poco a poco. Se pone la manta por encima y coge el teléfono en el salón. Me hace un gesto para que me vaya. Voy a la cocina a colgar el otro teléfono, pero me lo pongo en la oreja un poco para escuchar.

–No, madre, no lo sé. Por mí como si no vuelve.

–Mejor haría no volviendo. Sólo te trae disgustos. Y estos hijos tuyos cada vez se parecen más a él.

–No empieces, madre, por favor...

–Hija, con Aníbal tienes un problema. ¿Adónde le vas a meter? ¿Al instituto? Si ya anda con lo peorcito del pueblo... ya verás cuando le metas ahí. Y Kepa es un salvaje; no te imaginas los juramentos que me dijo anoche porque le mandé a las diez a la cama. Y Aitor, bueno, Aitor está en la puta inopia y...

–No sé para qué te cuento nada, madre.

–Pues porque si no te ayudo yo, no sé qué va a ser de ti y de esos niños. ¿Ya te está dando suficiente dinero?

–De sobra. Es lo único que no falta en esta casa. Mira, tengo un dolor de cabeza espantoso...

–¿Cuándo te llevo a Kepa y Aitor?

–¿No te los puedes quedar el fin de semana?

–No, guapa, de eso nada.

–Pues diles que se vengan ya para casa. No hace falta que los acompañes tú. Pueden venir solos.

–Vale, ya veo que no te apetece la compañía de tu madre...

Ama ha colgado el teléfono sin despedirse. Lo cuelgo yo también sin hacer ruido y salgo de la cocina. Me meto corriendo en la habitación de Aníbal. Sigue tumbado en la cama. Tiene los cascos puestos y la música del walkman a tope. Me acurruco contra él. Se separa un poco los cascos para que pueda oír lo que escucha. Es una de sus canciones que me gustan. La canto bajito:

–Anarkí-in-de-iu-kei... nanananana-nananané... aiiii-guanabiiii-anarkiiiii....

Aníbal se ríe mucho. Me da un abrazo y me estruja. Se quita los cascos.

–¿Ya me ajuntas?

Yo le sonrío. Veo que ha puesto todos los cachitos de Buni encima de su escritorio. Me da mucha pena Buni.

1983

Salgo del cole y oigo la voz de Aníbal.

–¡Amaia! ¡Amaia!

–¡Tato!

Está apoyado en el muro, enfrente de la puerta del cole. Está con sus amigos Manu y Txispi. Los tres con sus chupas de cuero y sus botas enormes de militar, una pierna contra el muro. Yo voy corriendo donde ellos. No espero a mis amigas. Seguro que les da envidia que unos chicos tan mayores hayan venido a buscarme. Sobre todo a Marta. Mañana me hará mil preguntas. En la puerta del cole está la dire, mirando con mala cara. Me llama con un gesto de mano, pero no la hago caso.

–¿Qué quiere esa puta monja, Amayita?, me dice Aníbal.

–No sé. Es una pesada, le contesto.

–¿Quieres acercarte a ver?

–No. Paso de ella.

Manu y Txispi se ríen. A mí no me hace tanta gracia. Son un poco tontos. Siempre se están riendo de todo.

–Venga, te invitamos a unas chuches.

Nos vamos al quiosco del parque y compramos pipas, gusanitos y gominolas. Hace sol y nos sentamos en un banco. Txispi y Manu empiezan a romper cigarrillos y a quemar una bolita que parece de cera. Aníbal se enfada.

–Joder, tíos, delante de mi hermana no. ¿Y no veis que está el parque lleno de peña?

–Pues nos vamos pa' Portu, tío. No vamos a estar toda la tarde pringaos, le dice Txispi.

Aníbal se encoge de hombros y sus amigos se van. Nos quedamos los dos solos en el banco. Mejor así.

–¿Qué tal hoy en el cole, txiki?

–Mal. La de mates me ha vuelto a echar de clase.

–¿Y eso?

–Por hacer ruido y suspirar.

–¿Qué?

–Sí, estaba dando golpecitos en la mesa y la de mates me ha dicho que pare de hacer ruido. Entonces he suspirado y me ha dicho «suspiros de España, al pasillo». Y ahí he estado casi toda la clase.

–Puta facha.

–Es una cabrona.

–No digas palabrotas, txiki.

–Es que es verdad, jolín. Me odia. Y además tú las dices.

–Bueno, cuando acabes la EGB, te vas al insti, que es dabuten.

–Dabuten, tronqui.

Aníbal se ríe y me hace una caricia en el pelo.

–Tato, ¿por qué has venido a buscarme?

–¿Y por qué no? Hoy no tienes ni ballet ni solfeo ni ninguna de esas pijadas.

–No, menos mal.

Pasamos un rato más sentados en el banco, comiendo las chucherías.

–Ama ya estará esperándote en casa. Yo me voy pa' Portu. ¿Vas derecha?

–Sí... pero ¿por qué no vienes conmigo? Aita no estará y...

–No, paso. Pero no te pongas triste, que hemos pasado un buen rato juntos, ¿que no?

–Sí...

–Hala, pa' casa.

El tato me vuelve a acariciar la cabeza. Se levanta del banco y se va. Yo me voy corriendo a casa. No sé qué hora es. Ama me abre la puerta. Me coge del brazo y me lo aprieta con fuerza. Me hace daño.

–¿Dónde estabas? ¿Quién te ha ido a buscar? ¿Qué te tengo dicho? Los días que no va Pili, derechita a casa.

–He estado con Aníbal, ama, que me ha ido a buscar y luego hemos estado comiendo chuches en el parque.

–¿Cómo que con Aníbal?

–Sí, ama, ha venido con Txispi y Manu. Luego ellos se han ido y nos hemos quedado nosotros en el parque.

–¿Estaban ellos en la puerta del colegio?
–Claro.
–¿Y te ha visto la hermana Anunciación?
–Sí.
–¿Y te ha llamado y no has ido?
–Sí, pero jo, ama, es que es una pesada y yo quería estar con el tato y...
–¡Monja asquerosa!
–Pero ¿qué pasa?
–Esa monja retorcida, se va a enterar.
–¿De qué? ¿Qué pasa?
–¿Sabes lo que me ha dicho? ¡Que eres una sinvergüenza y que te han ido a buscar unos gitanos y no sé qué cosas más!
–¿Unos gitanos? Ama, pero si era el tato Aníbal y Txis...
–Sí, hija, te creo. Qué retorcida y qué mala es esa mujer, por dios, pero ¡si es monja!
–Jolín, ama, no te enteras de nada.
Ama me mira un momento fijamente y después le entra la risa. Yo no entiendo muy bien de qué se ríe. Siempre vuelvo a casa contándole lo poco que me gusta el colegio y lo mal que me tratan las monjas. A mí no me hace ninguna gracia.
–¿Y dónde está tu hermano?
–Se ha ido a Portu.
–A saber a qué horas volverá.
–Hoy es viernes, ama.
–Como si eso importara ya algo.
–¿Aita?
–No sé, hija.
–¿Y los tatos?
–Kepa en casa de Iker y Aitor... no me acuerdo.
–¿Puedo ir a casa de Bego?
–¿No querrás decir a casa de Iker?
Yo me pongo roja y ama se vuelve a reír.
–Sí, pero antes meriendas. Y llama para pedir permiso, no vayas a molestar.

Vuelvo a pensar que ama no se entera de nada. Los aitas de Iker y Bego me quieren mucho. El que molesta es Kepa. A él Águeda no le invita a ir al monte como a mí, ni le hace bocatas de tortilla de patata y Modes no le enseña su colección de hojas de árboles ni le pone música bonita ni le contesta todas las preguntas que le hace. Porque Kepa es un bruto y ni siquiera hace preguntas. No entiendo por qué Iker es su amigo. El otro día Kepa quiso enseñar a Iker sus llaves de kárate y al final acabó haciéndole mucho daño. Es un abusón. Se rió de él y le llamó marica. Y le dijo que así nunca sería un gudari. Modes se enfadó mucho cuando le oyó y le dijo que en su casa no hacían falta gudaris. Yo no sé muy bien qué es un gudari y cuando nos íbamos para casa se lo pregunté a Kepa. Él me llamó tonta, claro, pero luego me contó que el abuelo de aquí, no el otro, había sido uno. Que aita también es gudari. Y que el tío Josu y sus amigos también. Y que defienden a Euskal Herria de los putos españoles como Modes. Y yo le dije que Modes era muy bueno y que no le debería insultar. Pero no me hizo caso y siguió diciendo que cuando sea mayor él también va a ser gudari y que por eso va a clase de kárate. Yo le dije que aita no es gudari, que es abogado y él me volvió a llamar tonta y me dijo que yo no sé nada. Y encima después le pregunté a ama que si aita era gudari y se enfadó mucho y me dijo que jamás volviera a decir eso. Y le riñó a Kepa por decírmelo y después Kepa me pegó sin que ama lo viera y me llamó chivata. O sea, que Kepa es un bruto y un abusón. Y ojalá no fuera amigo de Iker. Y seguro que es mentira que aita es gudari.

1984

Es domingo. Estoy en la cocina con Aitor, Kepa y ama, desayunando. Fuera llueve mucho y hace mucho frío. Ama y yo hemos hecho chocolate caliente y estamos mojando sobaos. Está muy rico. Los tatos me han dado las gracias. Qué majos. Y están muy graciosos con sus bigotes marrones de chocolate. Yo también tengo uno. Aitor ya tiene bigote de verdad, pero ama todavía no le deja afeitarse porque dice que catorce años es muy pronto. Creo que a él no le importa. Siempre va despeinado, no le gusta cortarse el pelo ni ducharse. La abuela le riñe y le llama haragán, pero a ama le hace gracia y dice que Aitor es el intelectual y que le deje en paz. Aitor mete la cabeza en sus libros y le da todo igual. Ahora me mira sonriendo con su bigote de verdad y su bigote de chocolate. Me gusta cuando Aitor me sonríe porque lo hace poco. Kepa tiene la boca llena de sobaos y hace el guarro diciendo «Pamplona» y también me dice «jo, tata, qué rico has hecho el chocolate». Me hace mucha ilusión que le guste. Ama no toma chocolate ni come sobaos. Toma su café negro y nos mira, sonriendo. Aníbal está durmiendo. Seguro que hace poco que ha llegado a casa. Hace muchos días que no veo a aita. Suena el teléfono. Una, dos, tres, cuatro veces. Miramos a ama que, al final, se levanta de la mesa muy despacio y lo coge.

–Sí, ¿dígame?

–...

–Ah, hola, eres tú.

–...

–No te oigo bien, Amadeo.

–...

–¿En qué hospital?

–...

–Pero ¿qué te ha pasado?

–...

–Ya.

–...

–No sé si podré. Llamo a mi madre para ver si se puede quedar con los niños.

–...

–Ya veré, ¿vale?

–...

–No, llamo yo al hospital y te aviso con lo que sea.

–...

Ama cuelga el teléfono. Está pálida. Se sienta.

–¿Qué pasa, ama?, le pregunta Aitor

–Vuestro padre. Está en un hospital de San Sebastián.

Yo no sé qué decir. Miro las manos de ama, que le tiemblan. No puede agarrar bien la taza de café.

–¿Qué le ha pasado?, sigue preguntando Aitor.

–No sé hijo, un accidente.

–¿No sabes o un accidente?

–Voy a llamar a vuestra abuela, a ver si puede pasar el día con vosotros y me voy a Bilbao a coger el autobús.

–No, ama, no llames a la abuela, por favor. Ya me encargo yo de todo, dice Aitor.

–¿Y la comida?, ¿qué vais a comer?

–Cualquier cosa, ama, pero no llames a la abuela.

–Vale, hijo, lo que tú quieras. Portaos bien y despertad a Aníbal a la hora de la comida.

–Ama, ¿puedo ir contigo?, pregunta Kepa.

–Mejor no, hijo. Igual me tengo que quedar y mañana tenéis que ir al colegio. Si no vuelvo esta noche entonces sí que llamaré a la abuela para que no estéis solos.

Ama se levanta y se va a su cuarto. Pasa mucho tiempo. Nosotros acabamos el chocolate y los sobaos, pero no nos levantamos de la mesa. Tampoco hablamos. Cuando sale ama, está ya arreglada. Se ha puesto muy guapa: un traje rojo con una blusa blanca por debajo, botas de tacón, y el abrigo de piel; se ha lavado el pelo y se ha maquillado. Ya no parece que está nerviosa ni que tenga mucha prisa.

–¿Nos llamas desde el hospital, ama?, le pregunta Aitor.

–Sí, cariño. No os preocupéis. Aita está bien, no es nada grave.

Nos da un beso a cada uno y se va. Nos quedamos sentados alrededor de la mesa. Sin hablar.

Aitor y yo nos recostamos en el sofá de la salita a leer. Ha salido el sol y entra mucha luz por las ventanas. Él lee un libro que se titula *Los santos inocentes*.

–Tato, ¿qué haces leyendo un libro de curas?

Me mira y se ríe.

–No, bonita. No tiene nada que ver con santos.

–¿Y con qué tiene que ver?

–Ya lo leerás cuando seas mayor.

Qué fastidio. Siempre cuando sea mayor. Vale. Pues no me cuentes. Mi libro seguro que es más chulo. En el suyo seguro que no hay piratas ni barcos ni islas ni loros. Y el mío es mucho más gordo. Y me lo ha dado Iker.

–¿Y tú qué lees, tata?

–Un libro.

–No te enfurruñes. Venga, enséñame.

–Me lo ha prestado Iker, el hermano de Bego. Se llama *La isla del tesoro*.

–¿Y no es muy difícil para ti?

–No soy tonta, jolín. Y tengo diez años.

–Ya sé, Amayita, eres la niña más lista que conozco.

–Pues ya está.

–¿Cuánto has leído ya?

–Más de la mitad. Me gusta mucho. Y, bueno, sí, alguna cosa no entiendo pero la mayoría sí.

–¿Y de qué va?

–Pues de un chico que roba un mapa a un pirata y es un mapa de un tesoro, y para encontrarlo lucha con otros piratas, que algunos son muy malos pero otros, no te creas, no tanto. Me gustan mucho los piratas. Y corren muchas aventuras juntos y están en un barco y luego llegan a una isla donde buscan el tesoro y...

–¿Me lo prestarás cuando lo acabes?

–Vale. Si tú me prestas el tuyo.

–Éste no te va a gustar.

Yo me encojo de hombros. No me apetece hablar más. Quiero leer.

Pasa mucho rato. Los tatos se ponen a cocinar. Voy a la habitación de Aníbal. Huele fatal. Está todo desordenado. La ropa de la noche está por el suelo. Me tropiezo con una de sus botas. Aníbal se despierta y gruñe.

–Amayita, txiki, ¿qué haces aquí?

–Nada, es que... ¿puedo abrir un poco la persiana?

–Sí, pero sólo un poco, ¿eh?

Abro la persiana lo justo para que entre un poquito de luz. Aníbal tiene muy mala pinta.

–Jo, tato, qué mal hueles.

Se ríe, se va a levantar un poco pero se coge la cabeza con las dos manos.

–Hostia, qué resaca. ¿Qué hay en el mundo exterior? ¿Sabes qué hora es?

–No sé. Aitor y Kepa están haciendo tortillas francesas, pero no les están saliendo muy bien.

–¿Y eso? ¿Dónde está ama?

–Se ha ido a San Sebastián. Es que aita está en un hospital allá.

–¿Qué le ha pasado?

–No sabemos.

–Bah, a saber... ¿Quién ha llamado?

–Él.

–Bueno, entonces el hijoputa estará de puta madre. Si te descuidas, es todo mentira.

Yo no sé por qué dice eso, pero no se lo voy a preguntar.

–¿Y no ha venido la abuela?

–No, Aitor no quería y ama no la ha llamado.

–Menos mal. Esa puta vieja nos jodería el día.

–Jo, tato.

–Perdona, txiki. Hala, diles a Aitor y Kepa que ahora voy a ayudarles.

–Vale. Pero antes abre la ventana. ¡Qué tufo!

Me vuelvo a tropezar con la bota al salir de la habitación. Ahora puedo verla. Está muy sucia. Tiene cachitos pegados de algo que no sé qué es y manchas de varios colores.

–Anda, ¿qué les ha pasado a tus botas?
–Buf, creo que anoche poté hasta mi primera papilla.
A mí me da mucho asco y me voy. Le oigo riéndose.

Comemos las tortillas. Están quemadas y saben a goma. También comemos chocolate y jamón. Hoy Kepa no se mete conmigo. Le pregunta a Aníbal por aita. Es tonto, ¿qué va a saber Aníbal? Me toca a mí fregar los cacharros. No vale. Hay un montón porque los tatos han ensuciado todo. No es justo. Siempre me toca a mí lo peor. Ellos están viendo la peli de la tarde y yo aquí, fregando. Las sartenes no las voy a limpiar. No sale todo el huevo pegado. Suena el teléfono. Yo no lo quiero coger. Oigo al tato Aníbal. Lo ha cogido. Levanto el teléfono de la cocina. Escucho.

–Sí, ama, estamos bien.

–¿Qué habéis comido?

–Hemos hechos unas tortillas y hemos picado alguna cosa más.

–¿Se está portando bien Kepa?

–Sí. Me pregunta por aita. ¿Qué ha pasado?

–Está en el hospital.

–Eso ya lo sé, ama.

–Un accidente.

–¿De coche?

–No...

–¿De qué entonces?

–De nada, hijo. Está magullado, pero no es nada grave.

–Ya. O sea, que no me lo vas a contar.

–Dile a tus hermanos que aita está bien y que yo vuelvo hoy a casa. El último autobús sale a las nueve, creo, así que estaré seguro antes de la medianoche. Él podrá venir en unos pocos días.

–Por mí como si se queda en el hospital.

–Hijo...

–Agur, ama. Hasta la noche.

Cuelgo el teléfono despacito para que no me oigan. Aníbal les dice a los tatos que aita está bien y que ama vuelve a la noche. Kepa pregunta qué le ha pasado, pero Aníbal no responde. Le oigo que sale de la salita y viene a la cocina. Yo sigo fregando.

–No te cuento nada porque lo has oído todo, ¿verdad, txiki?

Noto que me pongo muy roja. Me da vergüenza mirarle. Asiento con la cabeza.

–No pasa nada, Amayita. En esta casa cada uno sobrevive como puede.

Me da un beso en la cabeza y me acaricia el pelo.

–Agur, bonita. Me voy a dar un garbeo.

–¿Cuándo vuelves?

–No lo sé.

***

Ama no nos ha contado nada de aita desde que volvió el domingo, sólo nos ha dicho que el miércoles vuelve él a casa. Y hoy es miércoles. Estoy en el cole. Hoy tocan mates, inglés, euskera, sociales, labores... Buf, qué rollo. La Adoración seguro que me deshace el punto de cruz otra vez. Me dice que no tengo manos, que tengo pezuñas. Y a Marta también. Marta el otro día la llamó zorra a bajines, pero la oyó y la dio un cachete. Entonces Marta la gritó zorra más fuerte. La han expulsado una semana del cole. A mí también me gustaría que me echaran. Qué guay, una semana sin cole. Buf, y después solfeo. No quiero ir, pero ama me ha dicho que no proteste y que Pili me irá a buscar a la salida. Tendremos que atravesar el parque corriendo, como todos los miércoles. Y a ver si no queman algún coche o algún autobús y tenemos que dar la vuelta al pueblo para llegar a casa. Pili se pone muy nerviosa y la paga conmigo. El otro día me dijo que con la voz de ovejón que tengo no entiende por qué mi madre se empeña en llevarme a solfeo. Tiene razón pero, jolín, qué culpa tengo yo.

Llego a casa. Pili me ha dejado en el portal. No ha subido. Se ha ido corriendo porque justo llegaban los furgones de los maderos al parque y los otros habían parado un autobús. A ella no le gusta que les llame maderos. Ama abre la puerta.

–¿Ha llegado aita?

–Sí, bonita, está en la habitación, en la cama. Está con un señor amigo suyo que le ha traído desde el hospital.

–¿Puedo ir?

–Claro, te está esperando.

Le doy a ama la mochila y el abrigo. Ando por el pasillo casi sin hacer ruido, aunque una de las maderas cruje. La puerta de la habitación está un poco abierta. A través de ella veo a un señor sentado en una silla al lado de la cama. Lleva un traje oscuro muy elegante y una camisa blanca por debajo. Los zapatos negros brillan mucho. También su cabeza, que está completamente calva. Tiene un brazo apoyado en el respaldo de la silla y una pierna cruzada y habla con aita gesticulando con la otra mano. No oigo lo que dice, pero su voz suena muy profunda. Aita me ve.

–Amaia, bonita, ¿no vienes a saludar a tu aita?

Abro la puerta y entro en la habitación. El señor se levanta de su silla y me sonríe.

–Hola, aita. ¿Cómo estás?

Me acerco y veo que tiene la cara muy hinchada y de varios colores: rojo, morado, amarillo... Un ojo no se le ve. Está entre tumbado y sentado. El pijama se le abre un poco y puedo ver que tiene vendas. También tiene una mano vendada. Me sonríe y extiende la otra mano. Me da un poco de miedo acercarme.

–Jo, aita, ¿qué te ha pasado?

–No es nada, bonita. Ven, dame un beso.

Me acerco a él. Huele a mercromina y a algo amargo. Apenas le beso para no hacerle daño. Miro al señor, que me sigue sonriendo.

–Amaia, saluda a Carlos, me dice aita.

–Hola.

–Hola, guapa. Así que tú eres la niña bonita de papá.

A mí no me hace ninguna gracia eso de la niña bonita. ¿Y qué es eso de pa-pá? ¿De dónde sale éste? Tampoco me gusta su sonrisa. Es de esas que se quedan a medias. Tiene los ojos muy azules. No le respondo.

–Qué hijos tan serios tienes, Amadeo. Parece mentira que sean tuyos.

Aita le mira con mala cara y después cierra los ojos. No parece que a él le caiga bien este señor.

–¿Me puedo ir?, pregunto.

–Sí, vete a ayudar a tu madre, princesa. Cierra la puerta al salir.

Salgo y cierro la puerta despacio. Voy a la cocina. Ama fuma, toma sorbos de su copa de vino y fríe pechugas de pollo al mismo tiempo. El olor de sus cigarrillos se junta con el de las pechugas y me da asco.

–¿Se queda ese señor a cenar, ama?

–¿Carlos? Sí, hija, que ha venido desde Donosti para traer a tu padre.

–No me gusta.

–Huy, ¿y eso? Si no le conoces.

–Me da igual. No me gusta. ¿Los tatos?

–Kepa y Aitor en su cuarto. Vete poniendo la mesa.

–Que la pongan ellos.

–Amaia, tengamos la fiesta en paz.

–¿Y Aníbal?

–Yo qué sé, hija.

Salgo de la cocina. No me da la gana poner la mesa. Entro en el cuarto de Aníbal. Las paredes cada vez tienen más carteles raros. Ahora hay uno que dice Eskorbuto. Y la t es una cruz al revés. Está muy mal hecho, como si fuera un folio que ha pintado alguien. Tiene un montón de cintas de música. Ama no le deja poner sus discos en el tocadiscos del salón porque dice que le da dolor de cabeza. A mí me gustan porque Aníbal empieza a dar saltos y a hacer como que toca la guitarra y yo me pongo a bailar con él. Pero sólo podemos hacerlo cuando ama no está. Si está Kepa también baila y nos damos empujones. Aitor no, Aitor se va a su cuarto. Un amigo le graba los discos en cintas y él las escucha en su walkman. Oigo a ama que me llama desde la cocina. Busco el walkman. Busco los cascos. Se oye muy mal pero reconozco el principio de la canción «Desde Santurce a Bilbaoooo....» y luego cambia y dice «somos ratas en Vizcaya, somos ratas contaminadas». De repente, tengo a ama delante. Me quita los cascos.

–¿No me oyes? ¿Qué haces aquí? ¿No te he dicho que pongas la mesa?

La miro. Está despeinada. Hoy no se ha pintado los ojos ni los labios. Lleva un vestido viejo. Huele a tabaco y pollo. Hoy no me gusta ama. No me gusta nada.

***

El tato Aníbal está malito. Está muy flaco y muy blanco. Ama no me dice lo que tiene. Dice que no sabe. Tampoco sabe dónde duerme. Aníbal le dice que en casa de Txispi, pero ama no tiene su teléfono y Aníbal no se lo quiere dar, así que no puede llamarle ahí para ver si está o no está. A veces viene a casa, pero pasa muy poco tiempo. Siempre viene a pedirle dinero a ama cuando no está aita. Y sabe cuándo no está porque se lo pregunta a Aitor en el instituto. Aníbal no va a clase, se queda el día entero en el patio. Aitor se lo dijo a ama el otro día. También le dijo que le pide dinero para comprarse bocatas y que un chaval de su clase le dijo que Aníbal era un camello y un mierda. Aitor se lo contó a ama y los dos se quedaron muy tristes. Yo les pregunté qué era un camello, pero ninguno de los dos me contestó. Se lo pregunté a Marta y me dijo que se lo iba a preguntar a su hermana mayor, que tiene quince y lo sabe todo. Todavía no sé lo que es. Ama está en la cocina preparando la comida. Anoche llegó con un montón de bolsas llenas de trajes y vestidos. Le pedí que me los enseñara y ella se puso muy contenta. Se probó dos para que se los viera: uno negro de fiesta con el que parece una artista de cine y otro de flores de colores muy alegres. El de flores se lo ha puesto hoy. Viene aita a comer. Igual se queda unos días. Ha estado de viaje con Carlos. Ahora siempre está de viaje con Carlos. El domingo pasado vino a comer con aita. Siempre lleva traje negro y camisa blanca. Y esos zapatos tan brillantes. Y la cabeza como la de un muñeco Nenuco. No tiene nada de pelo. Nunca dice nada durante las comidas. Sólo nos mira. A mí no me gusta que me mire. A ama sí le gusta. Le sonríe y está todo el rato que si Carlos por aquí, que si Carlos por allá. Desde que aita trabaja con él viene mucho más a casa y si viene con Carlos no riñe con ama. Ama les prepara comidas ricas y después les deja en el salón con la puerta cerrada para que ellos fumen sus puros. Me da mucho asco el olor a puro. Entonces pasan ahí la tarde y después se van juntos otra vez.

–Ama, ¿hoy aita viene con Carlos?

–No, hija, hoy viene solo. ¿Por qué?

–Por nada.

Me alegra que no venga Carlos. Voy a decirle a aita que a la tarde nos lleve de paseo a la playa y después a merendar chocolate con churros. Me siento a la mesa de la cocina y la miro cómo prepara el pescado. Hemos ido juntas al puerto para comprarlo de los boteros. Había mucha gente en la lonja y a mí una señora me ha espachurrado contra el puesto y me he manchado el vestido. Ama le ha llamado bruta y a mí me ha hecho mucha gracia. A la señora no, que ha puesto muy mala cara. Genari estaba en su puesto. Ama la ha saludado, pero Genari no le ha contestado. Me ha extrañado porque Genari siempre habla con ella, pero ama no ha dicho nada. Hemos comprado un aringorri enorme. Ama está intentando limpiarlo, pero se le escurre. Tiene un cabezón muy grande y no puede meterle bien el cuchillo.

–Jo, ama, qué bicho más grande.

–Sí, hija, no hay quien lo limpie.

Se pelea con el pez un buen rato, pero al final veo cómo lo abre y le saca todas las tripas.

–Aggggh, qué asco ama.

A ella también le da asco porque arruga la nariz. Está simpática, así con la nariz arrugada y las tripas del pescado en la mano, y su delantal blanco por encima del vestido de flores. Se ha puesto guapa para aita.

Se le escurren las tripas en la fregadera y hacen «plof». Las dos nos reímos y decimos a la vez:

–Aggggh, qué asco.

Ama vuelve a coger las tripas para echarlas a la basura. De repente, oímos un portazo muy fuerte. Pasos rápidos en el pasillo. Aita está en la puerta de la cocina mirando a ama con muy mala cara. A mí no me mira. No sé si me ha visto.

–¿No me oyes cuando te llamo?

Ama todavía tiene las tripas en la mano. No se mueve. Tampoco dice nada. Yo intento moverme, decirle hola, pero no puedo. Aita se acerca a ama y la coge del brazo. Ama suelta las tripas en el fregadero. «Plof.» Aita la lleva hasta el salón que da a la calle. Ama dice bajito:

–Amadeo, por favor, no me aprietes tanto, que me haces daño.

Yo me levanto y me quedo en la puerta de la cocina. Oigo que aita abre el balcón. No sé si ir.

–¿Lo ves, ahí abajo, lo ves?

–¿Qué tengo que ver, Amadeo? Por dios, suéltame.

–El coche rojo, puta ciega, ¿no lo ves?

–Sí, lo veo, lo veo.

–Me he pasado media hora tocando el claxon para darte una sorpresa. Y tú ni puto caso. ¿Querías humillarme? ¿Que me viera todo el barrio haciendo el panoli?

No oigo lo que dice ama. No oigo nada. Siento las piernas muy pesadas. Los brazos. Bzzzzz en mi cabeza. Vuelvo a entrar en la cocina. Me siento de nuevo a la mesa. Pasa mucho tiempo. No oigo nada. Me levanto. Las tripas del aringorri siguen ahí. Las toco con un dedo. Son blandas, de muchos colores, se escurren si quiero cogerlas. Pero las cojo y las llevo a la mesa de la cocina. Las aplasto contra la superficie y las esparzo por toda la mesa. Oigo un portazo. Aita se ha ido. Salgo de la cocina. Me asomo al salón. Ama está tumbada en el sofá en una postura extraña. No entro. Me voy a mi cuarto y cierro la puerta.

***

Ya estoy en quinto. Odio el cole. Lo odio, lo odio, lo odio. Todo el verano haciendo los cuadernos Santillana por su culpa. Por culpa de la Herminia, la Anunciación, la Asunción. ¿Por qué tienen esos nombres? Hasta las que no son monjas son unas cabronas. Me da igual llamarles palabrotas. Se lo merecen. Ama lo sabe. Sabe que las odio. Ahora no me quiere cambiar de colegio, pero cuando acabe octavo yo aquí no vuelvo. Marta no me habla. No sé por qué. Igual es porque ella ya tiene doce años y le han salido tetas y ha empezado a salir con chicos. Con la cuadrilla de Kepa. No lo entiendo, con lo tontos que son todos. Excepto Iker, claro. Si por lo menos fuera al Carmen, podría ir a clase con Bego. Ama dice que también son monjas y que me va a dar igual, que son todas iguales. Bego me dice que a ella no la echan de clase como a mí ni le llaman sinvergüenza ni le dicen que va a acabar siendo cualquier cosa. Pero Bego es muy buena. Nunca contesta. A mí las monjas me llaman descarada. Ama me dice que tengo que aprender a callarme y a no mirar con mala cara. Y es que yo no me doy cuenta de que pongo malas caras y tampoco es que hable tanto.

Voy a mi pupitre. Este año me ha tocado uno al final de la clase, al lado de Patricia Guerrero. Es maja Patricia. Tiene la cara muy redondita y los ojos negros gigantescos y los dedos de las manos muy largos. Es muy lista. Entiende todas las mates. Yo no entiendo nada. Odio las mates, pero

Patricia me ayuda y a veces me deja copiar en los exámenes. Yo le ayudo con las redacciones. Llego al pupitre y hay una nota. La abro. «Tu padre es un txibato.» La guardo a todo correr en la mochila. Patricia se sienta a mi lado. No me ha visto guardar la nota. Miro alrededor. Nadie me está mirando.

***

Marucha se ha puesto enferma. Qué bien. No hay ballet. Bego se va a su casa. Yo quiero ir con ella para ver a Iker, pero me dice que quiere hacer los deberes, así que no voy. Pili quiere que vaya a hacer recados con ella, pero no me apetece. Me acompaña a casa y se va refunfuñando y diciendo que cualquier día coge el portante y se larga. Siempre dice lo mismo. Estoy sola. Cojo mi libro de *Los tres mosqueteros* y me siento en la salita a leer. Oigo la llave en la puerta. He echado el pasador. Oigo el «clanck» y voy corriendo a la puerta para ver quién es.

–¿Quién es?, digo.

–Amayita, soy yo, ¿quién está en casa?

–¡Tato! Estoy sola.

Abro la puerta. Aníbal no parece Aníbal. Está muy, muy, muy delgado y blanco. Hace calor, pero él lleva su chupa de cuero de siempre. Tiene los brazos cruzados y se frota como si tuviese mucho frío.

–¿Qué te pasa tato? Entra. ¿Tienes frío?

–Nada, txiki, sólo vengo a recoger unas cosas. Pensaba que no había nadie en casa.

–Es que no he tenido ballet.

–¿Todavía vas a esa mierda?

–Claro.

Me mira, pero parece que no está mirando.

–¿No te quedas?

–Hoy no, txiki.

A mí me entran muchas ganas de llorar.

–Pero es que ya nunca estás, le digo.

–Te prometo que vuelvo mañana. Es que hoy tengo que ver a unos colegas y...

Yo me voy a la salita a seguir leyendo. Le oigo andar por la casa. Ha entrado en la habitación de aita y ama. Le oigo revolver los cajones, abrir y cerrar armarios. Después de un rato entra en la salita.

–Me voy. No le digas a ama que he estado, ¿vale?

Yo no le contesto.

–Agur, me dice.

Sé que mañana no volverá.

***

Salgo de clase. Patricia y Gema van a los soportales a sentarse y comer chuches y me dicen que vaya con ellas, pero yo voy directamente a casa. No quiero que ama se enfade. Han cambiado la hora y se hace oscuro muy pronto. Hace frío y llueve casi todos los días. No me gusta el otoño. Hay una pintada al lado del portal de casa. Dice con muy mala letra AQUÍ VIVEN UN CAMELLO Y UN TXIBATO. Camello es lo que le llaman a Aníbal en el insti según Aitor y txibato es lo que dice la nota que me dejaron en el pupitre al principio del curso. Marta nunca me explicó lo que era un camello y como ya no me habla no se lo he podido preguntar. Llamo al timbre y me abre Pili. Subo por las escaleras. Me está esperando con la puerta abierta.

–Hija, ¿no te ahogas subiendo tantos pisos?

–No.

Pili cierra la puerta y me ayuda a quitarme la mochila y el abrigo.

–Pili, hay una pintada abajo.

–¿Y a ti qué más te da?

–¿Quiénes son el camello y el txibato?

–Anda, vamos a la cocina, que tienes la merienda preparada.

–¿No está ama?

–Sí, pero está echada. No hagas ruido.

Vamos a la cocina. Me siento delante del bocata. No tengo hambre.

–Pili, dime quiénes son.

–Niña, pregúntaselo a tu madre.

–Es que ama no me cuenta nada. Y los tatos tampoco. Antes Aníbal sí me explicaba cosas, pero los demás pasan de mí como de la mierda.

–Niña, qué lengua tienes.

–Jo, es que es verdad.

–Mira, hay gente muy mala que dice mentiras.

–Entonces son aita y Aníbal, ¿verdad? Aita es el txibato y Aníbal es el camello, ¿verdad?

Pili se calla. No me mira. Me entran ganas de tirarle el bocadillo a la cabeza.

–Anda, cómete el bocata.

No puedo estar sentada. Me duelen la tripa y la garganta. Me levanto con fuerza y se cae la silla de la cocina, haciendo mucho ruido.

–¿Adónde vas, bruta? Vas a despertar a tu madre.

–¡Vete a la mierda!

Salgo de la cocina y voy a mi habitación, pero para entrar tengo que pasar por la habitación de ama. Abro la puerta. Está dormida. Me da rabia. Veo su pelo revuelto en la almohada. Me acerco. Cojo un mechón y tiro de él. Ama se asusta. Abre mucho los ojos.

–Amaia.

No grita. Lo dice como si le costara decir mi nombre. Pili entra detrás.

–Perdona, Elvira. La niña ha visto lo de abajo y...

–Déjanos solas, Pili. Vete a comprar la pintura. Ya me quedo yo con ella.

Miro a ama. No le pido perdón por despertarla. No me da la gana. Se incorpora en la cama.

–Ven, hija, métete conmigo en la cama.

No quiero. No me gusta verla despeinada y con todo el rímel corrido. Me siento en la esquina de la cama.

–¿Me quieres preguntar algo?

Sí le quiero preguntar, pero no me sale.

–¿Has visto lo que han escrito abajo?

Asiento con la cabeza.

–¿Quieres que te lo explique?

Vuelvo a asentir.

–Hija, tu hermano Aníbal ha hecho algunas cosas que a sus amigos del instituto les ha sentado mal y le han puesto ese mote de camello, pero es todo mentira.

–Pero ¿qué es un camello?

–Es una persona que vende drogas, pero tu hermano no hace eso.

–¿Y lo de txibato?

–Lo de txibato lo dicen de aita porque es un hombre honrado. Se enfadó con el tío Josu porque hace cosas que no están bien, con las que aita no está de acuerdo. Hay gente mala a la que no le gusta lo que hace tu padre, pero él está haciendo lo correcto. Pero esto no se lo puedes contar a nadie, ¿entendido? Si alguien te dice algo de él, tú no sabes nada. Es muy importante esto, Amaia. ¿Lo entiendes?

Asiento. No le cuento nada de la nota.

–¿Quieres saber algo más?

Le digo que no con la cabeza.

–Anda, vete a merendar. Déjame descansar un poco.

Pasa un rato. Vuelve Pili con un bote de pintura blanca y un rodillo grande. Lo deja en la mesa de la cocina. Me pasa la mano por la cabeza.

–¿No te comes el bocata?

No le contesto. Ella dice algo bajito que no oigo. Se pone a hacer la merienda de los tatos. La puerta. Son Kepa y Aitor. Oigo el ruido de las mochilas contra el suelo. Aitor entra en la cocina y ve el bote de pintura. Lo señala.

–¿Quién se supone que va a hacer eso?

–Ay, no sé, hijo, habla con tu madre. Bastante he hecho yo al ir a comprarla. Yo me voy a mi casa, que ya es hora.

Pili sale de la cocina sin despedirse de mí. No me importa. Le voy a preguntar a Aitor que me explique qué pasa, pero entra Kepa. Mira el bote de pintura. Coge el rodillo.

–Venga, vamos a taparla.

–Sabes que es verdad, ¿no? La volverán a pintar.

–¿Eres gilipollas? ¿Cómo va a ser verdad? Lo de Aníbal no sé, está hecho una puta mierda. Pero aita es un gudari.

–Joder, Kepa, tienes la cabeza tan llena de mierda que no te enteras de nada. ¿Hace cuánto que no vamos a Francia?

–Eso es estrategia.

–Y tú un niñato y un imbécil. ¿Quién te crees que es ese Carlos? Un madero, tío, es madero.

Kepa se abalanza sobre Aitor, pero esta vez Aitor le da un empujón muy fuerte y Kepa choca contra la pared.

–Más que por ese cabrón te deberías de preocupar por tu hermano.

Kepa no le vuelve a atacar. Se queda contra la pared.

–Es un puto yonki. A mí que no se me acerque.

–¿Crees que te va a contagiar? ¿O es que te da miedo que tus amigos te echen de la cuadrilla por tener un hermano yonki? Pues a ver cómo les explicas que tu padre trabaja para el enemigo.

Kepa coge el cubo de pintura y el rodillo y sale de la cocina. Aitor le sigue y yo también. Va a salir de casa, pero ama sale de la habitación.

–¿Adónde vas con eso?

–A tapar la pintada.

–Espera a que se haga de noche, hijo, no te vayan a ver. Y tú baja con tu hermano.

Aitor hace un ruido raro, como de risa pero sin serlo. Se encierra en el cuarto. Kepa deja el cubo en el suelo, abre la puerta de casa y se va. Ama vuelve a la cama.

1985

Hoy es mi cumpleaños. También es carnaval. Qué rabia no poder hacer la merienda que yo quería, invitar a Patri, a Gema, a Eguskiñe, a Ibana y disfrazarnos. Pero Aníbal está muy enfermo y no podemos hacer ruido. Ama no me deja verle porque dice que está muy nervioso. Me da miedo. A veces le oigo gritar desde la salita, a veces desde mi habitación. Grita muy alto pero no entiendo lo que dice. Cuando oigo que se levanta para ir al baño me asomo para decirle hola. La mayoría de las veces no me mira. Don Ramón viene casi todos los días. Ama me dice que es para mirarle la fiebre. Vaya tontería, para eso no hace falta que venga don Ramón. El otro día yo también me puse enferma, como Aníbal. Temblaba de frío y sudaba mucho. Don Ramón vino a mi habitación y me puso el termómetro. Me preguntó qué me pasaba y yo le dije que lo mismo que a Aníbal. Él me acarició la cabeza y se fue. Parecía que estaba muy triste. Es que el tato lleva así muchos días. Será que no le puede curar. Como hoy es mi cumple igual ama me deja verle. Está en el salón viendo la telenovela. Voy a preguntárselo.

–Ama, ¿puedo ver a Aníbal?

–No, hija.

–Jo, ama, que es mi cumpleaños.

–Déjame ver esto tranquila. Luego te digo.

–¿Y va a venir aita?

–Ya te he dicho que no lo sé. ¿Quieres que te diga que sí y que luego no venga?

–No, ama.

Me voy a la salita a leer. Me gustaría quedarme con ama, pero no me deja ver la telenovela con ella. Dice que no son cosas para niñas. Igual se piensa que no lo entiendo. He visto un par de cachitos y es una tontería: los malos son muy malos y las mujeres buenas lloran por amor. Pero me gustaría estar un rato con ama. Ya me he acabado *Los tres mosqueteros*. Le tengo que pedir a Iker otro. Ama me compró otro libro de Los Cinco. Me gusta Jorge, que en realidad es una chica pero le gustaría ser chico. Normal. Ser chica es un rollo. Es muy valiente y lleva el pelo corto como yo. Pero todos los libros son iguales y me aburro. Le tengo que decir a ama que no me compre ninguno más.

–Hija, tu hermano está despierto. Puedes ir a verle.

Me levanto y voy corriendo a la habitación de Aníbal. La puerta está entornada y la abro despacio. La habitación huele a cerrado y a amargo. Está tumbado encima de la cama, en camiseta y calzoncillos. Esta flaquísimo. Tiene ojos de búho. Parece que la boca se le ha metido hacia dentro.

–Amayita, txiki, no te asustes. Ven.

–Hola, tato. ¿Estás ya mejor?

–Sí, bonita. Ya estoy mejor.

–Hoy es mi cumpleaños.

–Sí, qué mayor eres ya. ¡Once años! Ven aquí que te tire de las orejas.

Me acerco más a él. Veo sus manos huesudas. Siento sus dedos fríos en mi oreja. Noto una sensación extraña en la tripa.

–Bat, bit, hiru, lau...

Cuenta hasta once.

–No tengo un regalo para ti, txiki.

–No importa. Me alegra que estés mejor. ¿Te levantarás luego para merendar juntos?

–Sí, claro. ¿Dónde están Kepa y Aitor?

–Kepa se ha ido después de comer. Aitor está encerrado en su cuarto. ¿Lo llamo?

–No, luego os veo a todos. Ahora voy a descansar otro ratito, ¿vale?

No le contesto y me levanto para irme.

–¿No me das un musu?

Me acerco para besarle. No tiene papo, es todo hueso. Busco a ama. Está en la cocina.

–Hija, voy a salir un momento a hacer unos recados. Estate pendiente de tu hermano.

–¿Por qué no se lo dices a Aitor?

–Porque se me ha olvidado que estaba en casa.

Me encojo de hombros y vuelvo a la salita. Desde ahí le grito a ama:

–¡No me vuelvas a comprar un libro de Los Cinco!

Ella no responde. Oigo que se cierra la puerta. Pasa rato. Mucho rato. Oigo ruidos en la habitación de ama. Me acerco despacito. Es Aníbal. Lleva la chupa de cuero puesta, las botas. Está andando en los cajones. Ha sacado el último cajón de la cómoda y tiene el brazo metido hasta el fondo.

–Tato, ¿qué haces ahí?

Aníbal se sorprende y saca el brazo. Me mira con cara de susto.

–Nada, sal de aquí, txiki.

–¿Qué buscas?

–Te he dicho que te vayas.

–Pero ¿por qué has sacado el cajón?

–¡Vete de una puta vez!

Me tiemblan las piernas. No me puedo mover. Veo a Aníbal que viene hacia mí. Me empuja muy fuerte, fuera de la habitación. Me caigo al suelo. Me doy un coscorrón contra la pared. Cierra la puerta de un portazo. Yo me quedo ahí. Me duele mucho. Lloro. Aníbal sale de la habitación. Lleva una bolsa muy grande. Me ve en el suelo. Se agacha. Me acaricia la cabeza. Yo le doy un manotazo.

–Lo siento, Amayita, lo siento mucho.

No me ayuda a levantarme. Se va cerrando la puerta de casa despacio. Me quedo en el suelo mucho rato. Llamo a Aitor, pero no me contesta. Oigo la puerta. Llega ama. Se le caen las bolsas de la compra.

–Hija, hija, ¿qué te ha pasado? ¿Te has vuelto a desmayar?

–Aníbal...

Ama va corriendo a la habitación de Aníbal.

–¿Dónde está, dónde se ha ido?

Yo no la respondo. Sale Aitor de su habitación.

–¿Qué ha pasado?

–¿Tú estás tonto? ¿Qué estabas haciendo en tu habitación? Estás en la puta inopia. Mira a tu hermana.

Aitor me mira con cara de susto. Mira a mi madre. No dice nada.

–Hija, qué te ha hecho.

–Nada, no es nada, ama. Es que estaba en tu habitación buscando algo y cuando me ha visto se ha enfadado y me ha dado un empujón. Y luego se ha ido.

Ama va a su habitación. Aitor me ayuda a levantarme. Me duele mucho la cabeza. Desde el pasillo oímos a ama decir «no puede ser, por dios, no puede ser».

–¿Qué ha hecho, ama?, le pregunta Aitor.

Ama sale al pasillo.

–Nada, hijo. Coge un poco de hielo y pónselo a tu hermana en la cabeza, que ya le está saliendo chichón. Tengo que llamar a vuestro padre.

Aitor y yo vamos a la cocina. Coge unos cubitos de la cubitera y los envuelve en una bolsa del súper y después en un trapo.

–¡Ay!, me duele al ponérmelo en el chichón.

–Perdona, Amayita. Estaba oyendo música con los cascos. No me he enterado de nada. ¿Te ha pegado mucho?

–No, sólo ha sido un empujón. Me he dado contra la pared. ¿Qué le pasa? ¿Por qué está tan raro?

–Pues que está enganchado. ¿Entiendes lo que es eso?

–No.

–Pues que toma drogas y ha perdido el control, ¿entiendes?

–No.

–Aníbal no te quería hacer daño. Es la heroína, que le hace comportarse así.

–¿Y le pone enfermo también?

–Sí.

–Entonces no entiendo por qué sigue tomándola.

–Pues porque al principio dicen que hace sentirse muy bien. Después ya no, pero si te acostumbras a ello no lo puedes dejar. Es una adicción, como la gente que fuma o que bebe mucho, pero peor.

–Entonces ama es como Aníbal.

–No, bueno, no sé...

Aitor se calla. Quiero preguntar más, pero no sé todavía qué. Me quito el hielo de la cabeza. Ya no me duele tanto pero me molesta el frío.

–¿Vendrá aita?, le pregunto.

–No sé. ¿Quieres que venga?

–No.

–Yo tampoco.

Nos quedamos otro rato en la cocina. Ama viene después de mucho tiempo. Enciende un cigarrillo y abre una botella de vino. Se sirve una copa hasta arriba y se la bebe de un trago. Yo miro a Aitor. Él baja la cabeza y se mira las manos. Después de otro rato ama dice:

–Vuestro padre llega mañana para comer. Celebraremos tu cumpleaños con él, Amaia.

Yo no respondo. Me levanto y me voy a la salita. Me tumbo en el sofá y vuelvo a empezar *Los tres mosqueteros*. Después de un rato llega Aitor con su libro y se sienta en el otro extremo. Le hago sitio. Me acaricia los pies con los suyos.

* * *

Ama está nerviosa. Está intentando rellenar los pimientos y le tiemblan mucho las manos. Se le rompen y se le escurren. Le he dicho que la ayudo, pero me ha dicho que no, que me vaya a jugar. No quiero jugar. Me siento a la mesa de la cocina. Oigo la puerta de la entrada. ¿Será aita? Tiene que ser aita. Kepa no volverá hasta la hora de comer, Aitor está en su cuarto, Aníbal... No, seguro que es aita. Ama ha dejado los pimientos y se está lavando las manos. Se da la vuelta y me hace un gesto para que vaya a recibirle. No quiero. Pero me bajo de la silla y salgo al pasillo. Es aita. Me acerco.

–Amaia, ¿qué haces ahí? Ven a darme un beso.

–Hola, aita.

Le doy un beso. Huele mal. A cigarrillos y otros olores que no sé qué son. Tiene los ojos muy rojos y una pasta blanca en las esquinas de la boca. Parece más gordo que nunca. Y más calvo.

–Felicidades, bonita. Tengo un regalo para ti. Vamos a saludar a tu madre y después te lo doy.

Me coge de la mano. Yo me suelto y voy corriendo a la cocina. Mi madre se ha quitado el delantal y se está alisando el pelo con la mano. Tiene un gesto extraño en la cara.

–Hola, Amadeo.

No se acerca a darle un beso. Aita se queda en la puerta de la cocina y la mira muy serio. Después va hacia ella. Ama pega su espalda contra la nevera.

–¿No te dije que mandaras a los niños con tu madre hasta la hora de la comida?

–No han querido ir.

Ama miente. No nos ha dicho nada sobre ir a casa de la abuela. Pero mejor me callo.

–Si tus hijos no te hacen ni puto caso, ¿te extraña que acaben robándote?

Ama tiembla. Me mira con el rabillo del ojo. Yo no sé qué decir.

–Amaia, vete a tu cuarto, me dice aita.

Espero a que ama diga algo, pero no lo hace. Salgo de la cocina. Me quedo en el pasillo a escuchar.

–No habrás llamado a la policía, ¿verdad?

–Amadeo, tienen que encontrarle. Tenemos que...
–¿Qué es lo que no entiendes?
–....
–¿Les explicas tú toda esa pasta en casa?
–...
–Te juro que como abras la boca, te reviento. Yo me ocuparé de encontrarle.
–Seguro que sabes dónde, dice ama bajito.
–¿Qué significa eso?
–...
–Bien que disfrutas del dinero.
–...
–Ese mierda... ese mierda no es mío, no puede ser hijo mío. ¿A quién te estabas tirando cuando te quedaste preñada?
–...
–A eso no me respondes, ¿eh?
Estoy pegada contra la pared. Me duele el chichón de ayer. Y la tripa. Veo a Aitor que sale de su cuarto. Me mira asustado. Se acerca. Cruje una madera.
–¿Estáis ahí? Venid, venid a aprender unas cuantas cosas de vuestra madre.
Aitor me coge de la mano y me lleva hacia la puerta de casa. Aita sale al pasillo.
–¡Os he dicho que vengáis!
Nos quedamos parados.
–¿O es que ya no obedecéis a vuestro padre?
Ama sale también al pasillo. Aita la coge de los pelos y la tira contra la pared. Aitor va corriendo hacia él y aita le da un puñetazo. Aitor se cae.
–Pero qué puta mierda eres, chaval. No tienes ni media hostia. Por lo menos Aníbal a tu edad se sabía pelear.
Me mira. Se acerca. Extiende la mano hacia mí. Yo me tapo la cara y la cabeza con los brazos.
–Amayita, hija...
No me muevo. No me muevo. No me muevo.
–Amayita, hija...

Oigo sus pasos alejarse en el pasillo. La puerta abrirse. Cerrarse despacio. Ama sigue pegada contra la pared. Aitor se levanta y se va a su habitación. Me acerco a la puerta. Aita se ha dejado el bolso grande. Lo abro. Está lleno de ropa sucia. No hay ningún paquete de regalo, pero hay un vestido blanco con un gallo de colores muy feo y las letras Portugal en un costado. Miro la talla. Es demasiado pequeño.

* * *

Todas las chicas de clase están enamoradas de Martín. Claro, como es el único profesor en todo el colegio todas están locas por él. A mí no me parece tan guapo. ¡Si no se le ve la cara con tanta barba! Tiene los ojos muy grises, pero no son bonitos. Son muy fríos. Parece un perro de esos que arrastran trineos. A Patricia le gusta mucho. No hace más que suspirar y dibujar corazoncitos. Como ahora, que ha dibujado un corazón enorme y ha puesto dentro «Martin, maite zaitut». Si se lo pilla el profe se va a morir de vergüenza. Sus clases son un rollo. Es un pesado. Siempre hablando de Euskal Herria y lo bonito que es el euskera. A mí no me gusta nada. No lo entiendo. Yo tampoco a él le gusto. Siempre se mete conmigo. Además va de guay, con sus botas pisamierdas y sus jerséis de lana y diciéndonos que le llamemos sólo Martín, pero es tan malo como las monjas. Y si no, ¿por qué no se va a enseñar al insti? Yo me quiero ir allá. Como ama no me deje... porque a Kepa ya le ha cogido plaza y a Aitor le cambió en cuanto acabó la EGB. Si no, haré como Aníbal, que me echen y así no hay más remedio.

Desde mi cumpleaños no le veo. Tampoco a aita. Aníbal se llevó mucho dinero. Ya no necesita venir a casa a por más. Le echo mucho de menos. Ya no estoy enfadada con él porque sé que son las drogas, como dice Aitor, que le hacen actuar así de mal. Aita me da igual. Corté en pedazos ese vestido horroroso con el gallo y lo tiré a la basura. Aitor me hace más caso ahora, pero cuando él no está Kepa se mete conmigo. Y cuando está, se pelean y Kepa le puede a Aitor, aunque sea más pequeño. Es porque hace kárate. Y Aitor no hace gimnasia ni nada. Sólo lee. Entonces no tiene tanta fuerza. Pero me defiende de todas formas. Kepa es cada día más imbécil. Ahora se ha enfadado con Iker. Me lo contó Bego, que estaba con ellos. Kepa empezó a decir que se iba a meter en Jarrai. Iker le dijo que no podía porque sólo tiene trece años y además iban a pensar que es un topo. Kepa le preguntó muy enfadado que por qué. Iker le dijo que, claro, por aita. Entonces Kepa se puso a pegarle como un loco. Fue Modes y los separó y le pidió a Kepa que se fuera de casa y que no volviera. Yo le pregunté a Bego qué sabía ella y ella me dijo que no sabía nada. Pero yo creo que sí sabe porque se puso muy roja y en el pueblo todo el mundo habla de él, sobre todo por las pintadas. A mí me dio miedo que, por culpa de Kepa, Modes y Águeda no iban a querer que volviera a su casa, pero fui el otro día y está todo bien. Con Iker también. Ahora a Bego ya no le gusta Kepa. O por lo menos eso me dice.

¿Por qué me mira toda la clase? Patricia me da un codazo.

–Responde, tía, ¿no ves que la dire te está llamando?

–Señorita Gorostiaga, salga de clase. La han venido a buscar.

Miro a Patricia y después a Martín, que me mira muy serio. Recojo el libro y el cuaderno, los meto en la mochila, me levanto y salgo de la clase. Algunas cuchichean.

–Puede continuar, señor Mendizábal, le dice la dire a Martín.

–¿Qué pasa, hermana? ¿Por qué me tengo que ir?

–Nada, hija. Te está esperando la chica de tu madre, que te va a llevar a casa.

Me pasa una mano por el hombro y me hace una caricia en la espalda. Me extraña que sea tan cariñosa.

–Pero ¿qué ha pasado?, pregunto.

–Ya te lo contarán.

Salgo por la portería. Me está esperando Pili. Parece que está nerviosa y tiene muy mala cara. Me asusto cuando me abraza muy fuerte. Me hace daño. No puedo respirar. Dice algo que no entiendo. No me atrevo a preguntar. Me duele mucho la tripa. Pili se separa de mí. Me coge de los hombros.

–Te voy a llevar a casa, ¿vale?

Yo asiento. No entiendo pero no quiero preguntar. Pili no habla en todo el camino. Me da la mano. La oigo repetir qué desgracia, por dios, qué desgracia. Llegamos a casa. Ama no está. Está la abuela, llorando, sentada en el sofá del salón. ¿Dónde está ama? Lo he querido decir pero no me ha salido de la boca. La abuela se levanta y me abraza. La cabeza me llega a su pecho. Me estruja contra él y me acaricia la cabeza.

–Amaia, bonita, me dice.

Yo levanto la cabeza y la miro.

–¿Ama?, digo.

–Está en el hospital. La han llamado por Aníbal, me dice la abuela y me aprieta otra vez contra ella. Pili se echa a llorar también. Yo me separo con fuerza. Me está ahogando. Me estoy ahogando.

–¿Se ha puesto malo otra vez?, le pregunto.

La abuela no responde. Pili está dando una especie de gritos y llorando al mismo tiempo. Anda por la habitación sin sentarse. No sé cuánto tiempo pasan así: la abuela de nuevo en el sofá y Pili de pie, dando vueltas en el salón. No me había dado cuenta hasta ahora, pero la abuela tiene un zapato puesto y el otro no. Tiene un agujero en la media por el que asoma el dedo gordo del pie izquierdo. Tiene la uña muy larga. Seguramente por eso se le ha roto la media. Después de un rato la abuela me mira muy fijo y me dice:

–Aníbal se ha muerto, Amaia.

Yo me quedo mirando el dedo gordo de su pie. Es morado y amarillo y rojo. Siento una sensación muy extraña en el estómago y calor y frío al mismo tiempo. Y que se me dobla el cuerpo. Y vomito. Vomito en la alfombra del salón, a los pies de la abuela. Pili me agarra de la cabeza y sigo vomitando. La oigo que dice pobre, pobre niña mía. Después me coge y me ayuda a ir al baño. Me lava. Oigo la puerta. Pili me mira en el espejo.

–Son tus hermanos, me dice.

–¿Aníbal?

Pili me coge de los hombros y salimos al pasillo. Kepa y Aitor. Aitor se acerca a mí, me abraza y me acaricia la cabeza. Kepa no dice ni hace nada. Yo creo que me oigo decir no, no, no. Veo a Pili pasar con un cubo de agua al salón. Sale la abuela y nos mira. Ella también dice que no pero sólo con la cabeza. Está descalza y ya no tiene las medias puestas. Kepa la mira los pies, no dice nada. Vamos a la cocina y nos sentamos todos. No veo la cara de Aitor. La tiene escondida en los brazos que apoya en la mesa. Kepa después de un rato de mirar como a lo lejos hace lo mismo. La abuela nos pregunta si queremos un Colacao. Nadie responde.

–Quiero ir con ama, quiero ir con ama, digo.

Aitor levanta la cabeza y me dice que no con ella. La abuela me acaricia una mano. Yo la aparto. Llega Pili.

–Niña, ¿quieres venir conmigo a casa un ratito?, me pregunta.

Yo digo que no con la cabeza. De repente tengo un dolor muy grande en la tripa y más arriba, en el pecho, en la garganta. No puedo respirar. Abro mucho la boca pero no puedo respirar. No puedo. Oigo algo que sale de mí; yo no he sido. Yo no he dicho nada. Todos me miran asustados y me levanto de la silla y muevo los brazos porque me ahogo y abro mucho la boca porque no entra aire porque sale algo por ella que no deja que entre el aire y ya no veo a los tatos ni a la abuela ni a Pili. Y me ahogo y siento frío en todo el cuerpo y me doy cuenta de que estoy en el suelo de la cocina y que el tato Aníbal me coge la cabeza. Y oigo que me dice tranquila, Amayita, txiki, tranquila, estoy aquí. Y yo esfuerzo los ojos y veo que no es el tato Aníbal, que es Aitor y me acuerdo del dedo gordo de la abuela y quiero decir a Aitor que me deje en paz, que yo quiero al tato Aníbal pero no puedo, no tengo fuerzas. El dolor de garganta es muy fuerte pero no puedo quitármelo. No puedo hablar ni llorar ni vomitar ni escupir ni gritar. Es una bola que me raspa y me ahoga.

Estoy en el salón. Ya es de noche. Abro los ojos. Es ama. Me está mirando desde arriba. Está todo oscuro. Sólo puedo ver sus ojos brillantes y la melena muy despeinada. Se enciende la luz. Me hace daño en los ojos. Es la abuela.

–Elvira, no te he oído llegar, le dice.

–¿Qué hace aquí la niña sola?

–La hemos dejado tranquila cuando hemos visto que se ha dormido. Ha tenido uno de sus episodios, pero está bien.

–Hola, ama, le digo.

Ama me mira muy fijamente. Tiene los ojos muy para dentro y apenas se les ve lo verde.

–¿Sabes algo de tu marido?, le pregunta la abuela.

–Llega mañana o igual pasado. No sé.

–¿Qué tiene más importante que hacer que estar aquí con su familia?

Ama me sigue mirando. No le cambia la cara. No contesta a la abuela. Me acaricia la cabeza. Abre el mueble donde guarda las botellas. Saca una y se va del salón.

–Hija, ¿dónde vas con eso?, le dice la abuela.

Ama no contesta. Yo cierro los ojos.

–¿No quieres ir a tu camita?, me dice la abuela.

Yo digo que no con la cabeza. Me pone una manta por encima. La oigo irse dejando la puerta abierta.

Oigo pasos en el salón. Abro los ojos. Es mi tato.

–Amayita, txiki, hazme un sitio, me dice.

Yo encojo las piernas y el tato se tumba en el otro lado del sofá. Coge un poco de manta para taparse. Me quedo dormida.

Me despierta la luz de la mañana. Estoy sola en el sofá. Vuelve el dolor de garganta. Me ahogo. Me quito la manta de encima. Quiero llamar a ama pero no me sale. Me intento poner de pie pero no puedo moverme. Estoy así mucho rato intentando llamar ama, ama, pero no sale nada. Pili entra en el salón. Me abraza y me dice pequeña, bonita. Pero yo me ahogo más. Llama a Aitor. Entra corriendo, me pone de pie y me sube los brazos hacia arriba. Y me dice que respire. Respiro. Respiro.

–Esta niña tiene que sacarse eso del pecho, le dice Pili a Aitor como si yo no estuviera aquí.

Aitor no responde. Sólo me mira preocupado.

Entra la abuela en el salón.

–Tenemos que prepararnos para ir al tanatorio, dice. No sé cuándo se ha ido Elvira.

–No querrás que vaya la chiquilla, ¿no?, dice Pili. Otra vez hablan como si yo no estuviera aquí.

–Sí, debería ir a despedirse de su hermano, dice la abuela.

Quiero ir a despedirme. Lo intento decir, pero no me salen las palabras.

–Es muy pequeña, abuela.

–Tiene once años, Aitor. Va a aceptarlo todo mejor si...

–Pero mujer, ¿no ves cómo está? No la lleves, me quedo yo con ella.

–¡Quiero ir!, me oigo gritar. ¡Quiero ir! ¡Quiero ir! ¡Quiero ir!

–Txiki...

–¡No me llames txiki! ¡Quiero ver a Aníbal! Quiero...

No puedo seguir. La bola en la garganta me vuelve a ahogar.

–Está bien, Amaia. Ven con nosotros. Pero antes me tienes que escuchar, ¿vale?, me dice Aitor. Yo asiento con la cabeza. Intento concentrarme en lo que me dice.

–Vas a ver al tato Aníbal, pero tienes que prepararte porque lo que vas a ver es sólo su cuerpo vacío, nada más. Él ya no está ahí...

–Hijo, déjate de filosofías, le dice la abuela.

Aitor la mira con muy mala cara. La abuela baja la cabeza.

–Y vas a ver su cuerpo metido en un ataúd. No lo podrás tocar porque estará detrás de un cristal. Es como si fuera un muñeco que se parece mucho al tato, ¿me entiendes?

Asiento con la cabeza. Claro que lo entiendo.

–¿Estás segura de que quieres verle así?

Vuelvo a asentir. Pili insiste en que tome el Colacao con galletas antes de ir, pero no puedo. Me ha puesto una falda azul marino y un polo del mismo color. Ella y la abuela van de negro. Los tatos también llevan ropa oscura. Estamos todos preparados para salir. Ama parece que hace mucho rato que se ha ido. He visto la botella vacía en la fregadera.

El bolso de Pili se me clava al sentarme encima de ella en el taxi. La abuela dice al taxista que nos lleve al tanatorio. El taxista mira por el espejo retrovisor con cara de pena. Lo hace durante todo el trayecto. Por fin llegamos. Me bajo la primera y le pido a Pili que me frote la espalda. Lo hace y me da un beso en la coronilla. Entramos en un edificio muy grande. Aitor me coge la mano. Pasamos por un mostrador grande. La abuela pregunta a un hombre de traje por Aníbal Gorostiaga.

–Segunda planta, sala C, visible hasta las dos, dice el hombre del traje.

Subimos las escaleras despacio detrás de la abuela y Pili. Me doy cuenta de que Kepa no ha dicho nada hoy, tampoco ayer. Tiene la cara muy roja y los ojos hinchados. Como todos. Avanzamos lentamente por los pasillos. La abuela abre la puerta de la sala. Ama está sola sentada en una silla enfrente de una especie de escaparate. No veo lo que hay dentro. Levanta la cabeza al oírnos. Mira primero a la abuela y a Pili. Después a nosotros tres. No se mueve. Sólo esconde la cabeza entre las manos. Le tiembla todo el cuerpo. Entramos despacio en la sala. Aitor me sujeta muy fuerte la mano según nos acercamos al escaparate. Hay un ataúd. Dentro hay alguien, pero no puede ser Aníbal. Lleva el pelo corto, un traje azul, una camisa blanca. Si fuera mi tato tendría greñas, llevaría su chupa de cuero, sus botas de militar, el pendiente de aro. No está tan pálido como la última vez que vino a casa, pero tiene un color muy raro, como amarillo. Y no parece que está tan delgado. Miro a Aitor. Se ha llevado una mano a la boca. Kepa tiene la cabeza apoyada contra el cristal. Tiene los ojos cerrados.

La abuela apenas mira a Aníbal. Pili se santigua y empieza a susurrar. Está rezando. La abuela se acerca a ama y la acaricia la melena. Ama tiene cara de loca.

–Elvira, cariño, ¿cuánto tiempo llevas aquí? ¿Por qué no vas a casa y descansas un rato para la tarde?, le dice la abuela.

–Se lo van a llevar.

–Sí, a las dos. ¿Por qué no te despides ya? Si viene gente me quedo yo a recibir a quien sea.

–No ha venido nadie. Parece que no tenía muchos amigos, dice ama.

–Bueno, la gente tarda en enterarse y ha sido todo muy rápido, le dice la abuela.

Yo también me pego al cristal, como Kepa, con los ojos cerrados.

–De la familia de Amadeo no ha venido nadie, dice ama.

–De esa gentuza qué te puedes esperar, dice la abuela.

Oigo «toc, toc, toc» en la puerta. Se abre un poco y se asoma una cabeza con pelo corto teñido de rojo.

–Egun on, dice la cabeza roja.

–Ay, Matilde, pasa, le dice la abuela.

Parece que la abuela se ha asustado. Se ha puesto muy roja.

–Mira, Matilde, ahí está mi niño. Diecisiete añitos, le dice ama.

Matilde se acerca al cristal.

–Ene María, qué pobre chico, con lo majo que era de chaval.

–¿Y tú quién cojones eres?, le dice Kepa.

La señora se le queda mirando a Kepa con cara de darle una torta, pero no lo hace. Espero a ver si ama, la abuela o Pilar le riñen, pero ninguna dice nada. La señora nos vuelve a mirar a los tres.

–Claro, ya ni reconocéis a la familia. Soy la tía Matilde, la hermana de Josu, soy prima de vuestro aita.

Me suena un poco, pero no sé quién es. Ninguno le decimos nada.

–Ay, Elvira, perder a un hijo es el peor castigo. Cuánto lo siento, bonita. Ene... Ese Amadeo sólo te ha traído desgracias, dice.

–Matilde, no es momento, le dice la abuela.

–Si hubiera estado cuidando a la familia, esto no habría pasado.

–Ya está bien, Matilde, le dice la abuela.

–Tiene razón, madre. Él debería estar ahí dentro, no mi hijo. ¿Por qué no se lo dices a tu hermano, eh, Matilde? Que le den un puto tiro en la nuca, dice ama.

Si aita la oyera seguro que la pegaba, pero aita no está, así que ama puede decir lo que le dé la gana.

–Elvira, los niños... le dice Pili.

La abuela coge del brazo a la señora y la empuja a salir de la sala.

–Debería darte vergüenza, Matilde, venir a meter cizaña.

La señora se suelta del brazo de la abuela y mientras sale de la sala la oímos que dice:

–¿Vergüenza? A ella, ¡tener un hijo yonqui y un marido txakurra!

De repente Kepa sale corriendo y mientras grita ¡hijadeputa!, le da un empujón a la señora que la manda volando contra la pared de enfrente. ¡Plaf! Se da con mucha fuerza y rebota. Casi se cae al suelo, pero se sujeta a la barandilla de la escalera. Se toca la cabeza como si quisiera ver si se ha hecho sangre. Estamos todos en la puerta de la sala, excepto ama, que sigue sentada mirando a Aníbal.

–No te queremos ver esta tarde en el funeral, le dice Aitor.

La señora se da la media vuelta y se va.

No hablamos de lo que acaba de pasar. Nos quedamos mucho rato en la sala. Cada uno nos hemos sentado en una silla. No vienen más visitas. Entran dos señores en la habitación donde está Aníbal. No nos miran. Están muy serios. Se pone cada uno a un lado del ataúd y lo empiezan a girar para sacarlo de ahí. No lo cierran. Cuando está en posición de salida, uno abre la puerta y el otro empuja el ataúd, que se desliza como si no pesara nada. Aníbal no se mueve. Me acerco al cristal y veo que el ataúd va sobre un carrito de ruedas.

Estamos en la iglesia. Nos hemos puesto en los bancos delanteros. Ama está al lado del pasillo, después la abuela, Aitor, Kepa y yo. Pili y su marido están en el banco de atrás. De vez en cuando me pasa la mano por la cabeza. Hay muy poca gente. En la calle había mucha cuando hemos llegado nosotros y el coche con el ataúd de Aníbal, pero después no han entrado en la iglesia. Veo a Iker y Bego con sus aitas y algunos chicos mayores, de la edad de Aníbal o de Aitor. Pensé que vendrían Txispi y Manu, pero no los veo. Oigo pasos acercándose. Es aita. Todavía no le he visto, pero seguro que es él. Me vuelvo y veo que se acerca y se pone al lado de ama. Le pasa el brazo por encima y ella se separa de él. Se asoma un poco para mirarnos. No nos saluda. Sólo nos mira. Oigo que hay una persona más en la fila de atrás. Miro. Es Carlos. Me mira con sus ojos azules.

Empieza la misa. El cura habla. No le escucho. Miro el perfil de aita al lado del ataúd cerrado. Para qué ha venido. La culpa de todo la tiene él. Ama tiene razón. El debería estar ahí dentro y no el tato. Que le pase lo que dice ama. Que nos deje en paz. Que se muera.

***

No sé si tengo que ir al colegio o no. Estamos Aitor, Kepa y yo en la cocina desayunando. Ellos tampoco saben qué hacer.

–¿Estaba ama despierta cuando has salido de la habitación?, pregunta Aitor.

–No. Y aita también parecía dormido.

–¿Y no te han oído ir al baño y vestirte y esas cosas?, pregunta Kepa.

–Yo creo que no. ¿Qué hacemos?

–Vamos a esperar, dice Aitor.

Seguimos desayunando. Yo no tengo hambre. Los tatos tampoco. Oímos pasos en el pasillo. Es aita.

–¿Qué hacéis vestidos?

–No sabemos si tenemos que ir a clase, le dice Aitor.

–No, no tenéis que ir. Además, quiero hablar con vosotros.

No respondemos ninguno de los tres. Se me hace raro que aita quiera hablarnos. Yo miro los grumitos del Colacao flotando en mi taza. Aita se queda de pie.

–Después de lo que ha pasado vuestra madre no está en condiciones de cuidaros, por lo menos durante unos días. Y yo me tengo que ir, si no hoy, mañana, así que le voy a pedir a vuestra abuela que os lleve unos días a su casa.

–No, dice Aitor.

Aita le mira muy serio. Pienso que le va a pegar, pero no se mueve.

–No pienso ir a casa de la abuela.

–Yo tampoco, dice Kepa.

–Haréis lo que yo os diga.

–Tú has perdido toda autoridad en esta casa.

Ahora sí que aita le va a pegar. Pero no, no se mueve.

–¿Y quién me la ha quitado, tú, mocoso?

–No, te la has quitado tú mismo. Si Aníbal está muerto es por tu culpa.

Aita se acerca mucho a Aitor, que sigue sentado, pero con el cuello muy estirado hacia aita.

–¿Le puse yo la jeringuilla en el brazo? ¿Le hice chutarse esa mierda? ¿O lo dices porque se la compró con el dinero que me robó? ¿Eh, listo, cómo tengo yo la culpa?

Aitor no parece tener miedo. Kepa, sin embargo, tiene la cabeza tan metida en la taza como yo.

–Para empezar, por tu culpa se fue de casa.

–Ah, sí, ¿y dónde estabas tú?, ¿qué hiciste tú?

Aitor se levanta de la silla, se acerca a aita mucho y le dice con una voz que parece mucho más mayor:

–Nada. No hice nada.

Después se va de la cocina sin volver a mirar a aita. Aita mira a Kepa. Me mira a mí. Se da la vuelta.

–Cría cuervos, dice.

Gana Aitor. No vamos a casa de la abuela, aunque ella pasa mucho tiempo en nuestra casa. Ama no se ha levantado desde el funeral. Tres días. La abuela y Pili le llevan comida a la habitación y están con ella. Don Ramón también ha venido varias veces. Aita se fue ayer. No se despidió de Aitor ni de Kepa. A mí me intentó dar un beso pero yo me di la vuelta y me fui corriendo a la habitación. Cerré la puerta y me apoyé contra ella por si me seguía, pero no lo hizo. Se fue sin el beso. Que se joda.

1986

17 de abril. Hace un año que se murió Aníbal. Ama seguro que hoy no se levanta de la cama. Ha estado tomando las pastillas a escondidas. Don Ramón ya no le da más recetas, pero ama me manda a mí a la farmacia y les tengo que decir que ama tiene que subir al ambulatorio a por la receta y que lo hará pronto. Me miran con cara de pena y el otro día la dueña ya me dijo que le dijera a mi madre que no me vendían más. Me dio vergüenza. Se lo conté a ama y creo que a ella también.

Volvieron a hacer la pintada en el portal, pero esta vez sólo pusieron txibato y nuestro apellido dentro de una diana. Yo no me di cuenta de que era una diana hasta que lo dijo Aitor. Ahora aita no viene nunca a casa. Carlos tampoco. Ama dice que es por motivos de seguridad. Kepa dijo que más le vale no venir porque va a ser él quien se lo cargue. Así lo dijo y ama le pegó un sopapo. Ama nunca nos ha pegado. Kepa no reaccionó. Kepa tiene ahora la habitación de Aníbal. Ha quitado el póster de Eskorbuto. Ha añadido otros. Uno de la Polla Records, otro de Kortatu, otro que dice Independentzia. Intentó poner uno con el hacha y la serpiente, pero la abuela le dijo que lo quitara. También le dijo que quitara los otros, pero no lo ha hecho. Discutió con la abuela y ya no le dice nada, apenas se hablan. La llamó facha de mierda y puta extremeña y no sé cuántas cosas más. Ama no se metió. Kepa se quedó con el walkman de Aníbal. A mí me dio las cintas pero no las puedo escuchar porque ama no me quiere comprar uno. Se lo pedí para mi cumpleaños, pero ni siquiera lo celebramos. Tampoco celebramos la Navidad. Kepa se ha rapado el pelo por delante y lo lleva largo por detrás. Se pone pisamierdas y palestino. Aitor se mete con él y le dice si ya le han pasado por el molde de fabricar borrokas. Me dice que Kepa no le saluda cuando está con su cuadrilla. Kepa está a punto de acabar octavo; irá al instituto el curso que viene. Aitor va a acabar segundo. Saca todo sobresalientes. Se quiere ir a Madrid a estudiar filosofía. Yo no quiero que se vaya. A mí todavía me quedan séptimo y octavo con las putas monjas, pero ama ya me ha prometido que haré el BUP en el instituto.

Hoy no quiero ir a clase. Quiero quedarme en casa leyendo. Me levanto. Ama está dormida. Voy a la cocina. Están Aitor y Kepa acabando de desayunar.

–Buenos días, les digo.

–Egun on, dice Kepa.

–Buenos días, dice Aitor.

–¿Os vais ya a clase?

–Claro, dice Aitor.

–Yo me piro ya, dice Kepa.

Y se va. Kepa nunca espera a Aitor. O Aitor siempre espera a que Kepa se vaya para salir un poco más tarde. Cuando ama les pregunta por qué no van juntos, si el colegio de Kepa y el insti están al lado, Aitor le dice que es porque él va con Edurne. Edurne es la mejor amiga de Aitor. No creo que sean novios. Estudian juntos los fines de semana en casa de Edurne. Aitor nunca la trae a casa. Yo sólo la he visto una vez. Es guapa, pero lleva pintas un poco desastrosas, como si quisiera esconderlo.

–No quiero ir a clase, le digo a Aitor.

–¿Por qué?

–¿No sabes qué día es, o qué?
–Claro, Amayita, cómo no lo voy a saber.
–Te he dicho que no me llames Amayita.
–Perdona.
–No quiero ir a clase.
–Es mejor que vayas, Amaia. Vas a estar mejor allá.
No le respondo, pero igual tiene razón. No me quiero quedar con ama. Y Pili llegará a las nueve, se pondrá a limpiar la casa y a cotorrear. No me dejará tranquila.
–Hala, me voy, que llego tarde.
Me da un beso en la mejilla. Casi nunca me besa.
–Agur, tato.
–Agur.
Vuelvo a pasar por delante de ama para ir a mi cuarto y vestirme. Sigue dormida. Seguro que se pasa el día en la cama.

Patricia y Gema me están esperando en la puerta del patio. Patricia tiene un paquetito en la mano y lo extiende hacia mí.
–Hola, Amaia, esto es de parte de las dos.
–¿Qué es?
–Ábrelo, tonta, dice Gema.
Lo abro y es una muñequera de cuero marrón superbonita. Me la pongo en la muñeca derecha con las otras pulseras de cuero. Me queda perfecta.
–¡Qué chula! Pero ¿por qué...?
Gema y Patricia sueltan una carcajada.
–¿Ya está con el pero por qué, señorita Gorostiaga?, dice Gema imitando a la Herminia.
–Pues porque no queremos que hoy estés triste, dice Patricia casi a la vez.
Se me pone un nudo en la garganta.
–Joder, Patricia, ¿no te dije que no te pusieras cursi? Mira, ya se va a poner a llorar.

Pero no lloro. Me río de lo borde que es Gema. Nos abrazamos las tres. Yo soy la más bajita. Pili me dice que tenga paciencia, que ya creceré. Parezco una niña al lado de ellas. Gema lleva sujetador y ya le ha bajado la regla. Patricia tiene muy pocas tetas, pero también le bajó hace un mes o así. La pobre se llevó un susto tremendo y empezó a dar gritos en el baño del colegio; menos mal que Gema estaba en el baño también y la tranquilizó. A mí todavía no, aunque sí me han crecido un poco las tetas y me han salido pelillos ahí abajo. Bueno, me han salido pelos en todos sitios. Es un asco. Pili me dice que no tenga prisa por tener la regla, que después es un rollo y que además si me baja no voy a crecer más.

–Venga, vamos subiendo, que con tanto abracito vamos a llegar tarde, dice Gema.

Miro mi muñequera de cuero. Me encanta. Aitor tenía razón. Estoy mucho mejor aquí que en casa.

Vuelvo a casa a la una y media para comer. Ama sigue en la cama. Pili ha dejado sopa de fideos y pescado albardado. Siempre lo mismo. Si no es sopa de fideos es vainas, y si no es pescado albardado es guiso de pollo. Seguro que a los tatos tampoco les gusta. Veo un capítulo repetido de *La bola de cristal* mientras como. Me asomo a la habitación. Ama sigue dormida. Paso al baño a cepillarme los dientes. No cierro la puerta, pero ama ni siquiera se mueve. Me estoy poniendo los zapatos en la entrada cuando llega Aitor.

–Hola, Amaia, ¿qué tal la mañana?

–Bien, mira lo que me han regalado mis amigas.

Le enseño la muñequera.

–¡Qué bonita! ¿Qué clases tienes por la tarde?

–Religión y labores.

–Joder, qué antiguo.

–Dímelo a mí.

–¿Qué hay para comer?

–Adivina.
–Vainas y pescado.
–¡Casi! Sopa de fideos y pescado.
Kepa abre la puerta de casa.
–Aúpa, dice.
–Hola. Yo ya me iba.
–Agur, Amaia, dice Aitor.
–¿Ama?, pregunta Kepa.
–En la cama, le digo.
Se quedan los dos parados al lado de la puerta, como queriendo decir algo, pero ninguno dice nada, así que me voy.

* * *

No sé por qué ama se empeña en ir a verle. Para qué. Para que nos monte otro numerito. Y no sé por qué Aitor y Kepa no van y yo sí tengo que ir.
–No quiero ir.
–Vístete y deja de protestar.
Ama está ya vestida. Hace mucho que no la veo ponerse tan guapa. Lleva el vestido azul de punto y la chaqueta blanca, con los zapatos blancos de tacón. Y se ha arreglado el pelo. Aun así, desde que se lo cortó ya no lo tiene tan bonito. A mí me gustaba la melena. Y se lo tiñe de un color más oscuro. Parece más mayor.
–¿Qué me pongo?
–Lo que te dé la gana, pero no vayas hecha un chicazo, que ya sabes que a tu padre no le gusta.
Elijo unos vaqueros y una camiseta. Me da igual lo que le guste o no.
–Amaia, espabila, que perdemos el tren.
Salgo de la habitación.
–¿Por qué no te has puesto un vestido? ¿Para qué me preguntas si no me haces ni caso?
–¿Me cambio?

Sé que me va a decir que no. Está nerviosa.

–Anda, vámonos.

Ama ha quedado con aita en el bar del hotel de la otra vez. No me gusta nada este hotel. Está lleno de hombres con traje bebiendo y fumando. Cuando entramos todos se giran para mirar a ama. Ella se estira más y hace sonar los tacones más fuerte. Nos sentamos a una mesa. Ama pide un vermú y yo un mosto. Mira nerviosa hacia la puerta. Pasa un rato y aita viene por detrás. Nos asusta.

–Ay, qué susto, Amadeo. ¿De dónde sales?

–Os he visto entrar. Ya he visto cómo movías el culo.

No decimos nada. Aita nos mira a las dos.

–Cada día te pareces menos a tu madre, me dice.

Yo pienso que con tal de no parecerme a él, me da igual.

–¿A quién te pareces? Porque a mí no.

–Amadeo, no empieces con la niña.

–¿Y los otros dos?

–No han podido venir.

–Mentirosa. Será que no han querido.

Aita se va a la barra a pedir. Ama me mira con cara de susto. La misma cara de susto de siempre. Aita vuelve después de un rato con una cerveza.

–No sé para qué me mato a trabajar, para que esos desgraciados hagan como si no tuvieran padre.

Ama no dice nada.

–¿Has hablado ya con tus hijos de este verano?

–No, todavía no he podido.

–¿Y a qué esperas?

Silencio.

–Amayita, ¿te gustaría pasar el verano en Portugal?

–No.

–¿Y por qué no?

–Porque quiero ir otra vez a Otsagabia con Bego.

–¿Qué pasa, quieres más a ésos que a tu padre?

–Y para que te enteres, me llamo Amaia.

Aita me mira como si me quisiera pegar. Yo no aparto la mirada.

–Vuelve a casa. Ahora mismo, me dice.

No entiendo. La miro a ama, pero ella no dice nada.

–Quítate de mi vista. Vete.

No me muevo. No sé qué hacer. Ama abre su bolso y saca mi billete de vuelta.

–Hija, ya sabes cómo llegar al tren. Fíjate que no cojas el de Muskiz.

Cojo el billete. Me levanto. Me quedo de pie esperando a que me digan que me quede, que era todo una broma. Pero miro a aita y me mira con esos ojos pequeños y oscuros, hundidos en medio de su cara de pan, y sonríe con media sonrisa. Y la miro a ama, pero ella no me mira. Ella se mira las uñas. Recién pintadas.

Salgo del hotel y camino hasta el tren. Me dan ganas de no montarme y quedarme a pasear por Bilbao, pero tengo hambre y no tengo nada de dinero. Espero diez minutos en la estación hasta que llega el tren. Me monto en el lado derecho para mirar por la ventana y ver la ría. Llegamos a Zorroza y veo a los gitanos que están ahí fuera. Hoy no tengo suerte y no está la cabra. En Sestao los Altos Hornos echan el humo negro de siempre. Todavía no entiendo cómo las sábanas que cuelgan de las ventanas pueden estar tan blancas. Llegamos a la Iberia. Ya veo el Puente Colgante y a lo lejos el mar. Enseguida estaré en casa.

Llego al portal. Han puesto un montón de carteles con las fotos en blanco y negro de esos dos chavales que desaparecieron y con la de ese otro que encontraron en un río. Al lado hay una pintada nueva: PSOE-GAL BERDIN DA. Esta vez por lo menos no está nuestro apellido. Entro en casa y no hay nadie. Aitor y Kepa andan por ahí. Abro la nevera. Saco el embutido. Me hago un bocadillo de jamón de York con el pan duro de ayer. Voy al cuarto de ama. Abro su armario. Está tan lleno que no le cabe ya más. Tiene ropa en el otro armario también y muchísimas cajas de zapatos. Apenas quedan cosas de aita. Ama dice que va a volver cuando se tranquilicen las cosas. A saber cuándo es eso. No me puedo creer que se haya quedado con él y me haya mandado volver sola a casa. No volveré a visitarle a ese hotel asqueroso ni a ningún otro sitio. Y lo lleva claro si cree que me voy a ir a Portugal en verano. Me pruebo el vestido verde. Es uno de mis favoritos. Me queda grande pero el color me sienta bien. Me pongo unos zapatos de tacón rojos. Ay, que me caigo. No me parezco nada a ama, es verdad. Y a aita menos. Ama dice que me parezco a la madre de aita, pero yo no lo sé porque no la conocí. Se murió hace mucho. Sólo he visto una foto y está descalza con una cesta de pescado en la cabeza. Dicen que era muy guapa, que tenía los ojos grandes y negros y muy mala leche. Me voy a la salita a ver la tele sin quitarme el vestido.

Veo la tele toda la tarde. Hoy no me apetece leer. Después de mucho rato llega Aitor.

–¿Qué haces en casa?, me pregunta.

–Nada.

–¿Y ama?

–En Bilbao con aita.

–Pero ¿tú no has ido?

–Sí.

–¿Entonces?

–Nada, que aita se ha enfadado conmigo y me ha mandado a casa.

–¿Y ama se ha quedado con él?

–Sí.

–¿Y te has venido tú sola?

–Claro.

–Yo ya no entiendo nada. ¿Y por qué se ha enfadado?

–Porque no quiero ir a Portugal en verano.

–¿A Portugal?
–Sí, parece que nos quiere llevar a todos.
–Anda y que le den por culo.
–Eso mismo.
–O sea, que está más de un año sin aparecer por casa y ¿quiere que vayamos con él a Portugal?
–Eso parece.
–¿Y ama qué ha dicho?
–Vaya pregunta, Aitor.
–Ya...
Me mira y se ríe.
–Pero ¿qué haces con esa pinta?
Ahora me río yo y me encojo de hombros. Nos quedamos un rato viendo la tele. Suena el teléfono. Yo no lo quiero coger. Aitor tampoco se mueve. Suena mucho rato. Vuelven a llamar y suena otro rato largo. Aitor se levanta de mal humor.
–¡¿A ver?!
–...
–No, no te había oído.
–...
–Está bien, ama. Está aquí conmigo.
–...
–No, no voy a salir.
–...
–Y yo qué sé dónde está. No soy su niñera.
–...
–Vale, pues hasta mañana.
Cuelga el teléfono de un golpe y se vuelve a sentar en el sofá.
–Ama, que esta noche no viene a dormir.
–Qué asco.
–¿Por?
–Porque va a dormir con aita.

***

Estoy muy contenta porque ama ya no me hace ir a solfeo y a ballet, pero echo de menos a Bego. Ella le dedica tantas horas que apenas la veo. Va todos los días y también los sábados por la mañana. Quiere ser bailarina profesional. No le importa sangrar de los dedos de los pies por culpa de las puntas ni que la Marucha le dé pellizcos en el culo y la siga llamando gorda, a pesar de que Bego está como un palillo. Pili la llama el espíritu de la golosina. Qué mala es. Este fin de semana lo pasaremos entero juntas. Y con Iker. Hoy la vamos a buscar a las siete a la clase de ballet y de ahí nos vamos a Otsagabia hasta el domingo. Estaba enfadada porque va a faltar a la clase de mañana, pero seguro que se le pasa. Me encanta Otsagabia, la casa de piedra de Modes y Águeda, coger renacuajos y cangrejos en el río, las campas. Y ver a Iker. Tengo muchas ganas de volver y salir al campo para ver las ovejas y las cabras. Igual no está tan bonito como este verano, pero Modes dice que los árboles ya habrán cambiado de color y que el bosque estará precioso.

Llego a su casa con mi bolsa a las seis. Me abre la puerta Águeda.

–Hola, Amaia. Qué pronto llegas.

–Perdón.

–No, bonita, no pasa nada.

Me coge la bolsa y la deja con las otras en el hall. Me acaricia la cabeza.

–¿Has merendado?

–Sí.

–¿No quieres nada? Mira que no cenaremos hasta muy tarde.

–No, estoy bien, de verdad.

–Pues hala, vamos al salón. Iker está haciendo su bolsa y Modes ha ido a poner gasolina al coche.

A mí me entran cosquillas en el estómago cuando oigo el nombre de Iker. Águeda se queda unos segundos callada. Me mira seria.

–¿Cómo habéis estado?

–Bien.
–¿Qué tal el nuevo curso?
–Igual que el anterior.
–Hija, no me puedo creer que hayáis empezado ya séptimo. ¡Y tu hermano con Iker en el instituto!
–Ya, yo me quiero ir allí.
Águeda se ríe. Siempre se ríe cuando le digo que no me gustan las monjas. Pero enseguida se pone seria.
–¿Y tu madre?
–Bueno...
Me callo. No me apetece hablar del tema.
–De tu padre nada, ¿verdad?
Sé que ella no lo hace para sonsacarme o a malas, pero es que de verdad no me apetece hablar del tema. Es como si no existiera otro. Que me pregunte otra vez por el colegio o por los libros que leo o que me hable de sus cosas, pero que me deje en paz con mi madre y mi padre. Me levanto y me pongo a ojear la estantería.
–¿Quieres llevarte algún libro?
–Hola, Amaia, oigo decir a Iker.
Antes de darme la vuelta ya me he puesto roja. Qué mierda. Me giro sólo un poquito.
–Hola, Iker.
–¿Por qué no buscáis algún libro para Amaia? Voy a acabar de prepararme, que ya enseguida vendrá aita.
Iker se acerca a mí y se pone a mirar libros conmigo. Le miro de reojo y creo que él también se ha puesto colorado. Como es muy blanquito, enseguida se le nota. Me gusta mucho que sea tímido. También me gusta su pelo. Es menos rojo que el de Bego, más tirando a rubio oscuro, aunque ahora lo tiene un poco claro porque todavía le dura el color del verano. Lo lleva largo y le queda muy bien. Es más alto que yo, me saca por lo menos una cabeza. Y tiene los ojos color de miel. Bego me dice que es demasiado mayor para mí, pero en realidad sólo me lleva un año y dos meses porque él es de diciembre y yo de febrero. A veces le pillo mirán-

dome muy fijamente y muy serio. Seguro que un poquito sí que le gusto.

Estamos en el coche desde hace casi tres horas. No me atrevo a preguntar cuándo llegamos para que no piensen que soy una quejica, pero quiero llegar ya. El viaje está siendo raro. Bego está toda enfurruñada. Va con la cara pegada al cristal y no me habla. Yo voy en medio. Me gusta porque en las curvas me choco contra Iker y él no se aparta. Pero Bego se queja cuando me choco contra ella.

–Jolín, Amaia, que me aplastas, me dice.

–Begoña, hija, no le hables así a Amaia, le dice su madre.

Sigue enfadada porque mañana no puede ir a ballet. Dice que se va a perder tres horas y que es el día que hacen cosas más chulas y que no sabe por qué tenemos que ir a ese pueblo lleno de mierda de oveja.

–¿Qué lengua es ésa, hija? ¿Y desde cuándo no te gusta Otsagabia?, le ha preguntado Modes.

Y ella no ha contestado. Se ha quedado pegada al cristal. Tampoco se ha querido comer la merienda. Se ha enfadado con su madre porque le ha traído un bocadillo de chorizo en vez de fruta. Pobre Bego, no quiere engordar para que Marucha no se meta con ella. Por fin llegamos al pueblo. Son pasadas las diez de la noche y no se ve a nadie en la calle. Si fuera verano estaría lleno de gente. Entramos en la casa. Hace frío y huele a cerrado. Modes se pone enseguida a encender la chimenea. Bego y yo vamos a nuestra habitación. Está muy fría también. Dejamos las bolsas y bajamos al salón. Ayudo a Águeda a poner la ensalada y sacar el jamón, el queso, el chorizo y el pan para cenar. Me empieza a doler la tripa. Igual es de hambre. Aunque es un dolor raro, muy abajo. Cenamos y Modes nos pregunta si queremos ir mañana con él al monte, a ver si han salido ya algunas setas. Yo digo que sí. Iker también. Me encanta ir al monte con Modes porque me explica todo lo que vemos. Y se sabe todas las setas, las venenosas también. Ésas ni las toca. Dice que por algo estarán en la naturaleza y que mejor no acercarse a ellas. Recogemos los cacharros de la cena, y nos vamos a la cama. Bego sigue sin hablarme. Yo creo que se hace la dormida. A mí me duele muchísimo la tripa. Cada vez más. No quiero decir nada. Me hago un ovillo y se me pasa un poco, pero de vez en cuando siento como si una mano me estuviera escarbando por dentro o dando tirones hacia abajo. ¿Habré cogido frío?

Me despierta el dolor de tripa. Quiero ir al baño, pero hace frío y está muy oscuro y me da miedo tropezarme con algo.

No sé cuánto tiempo llevo despierta, pero debe ser mucho porque ya está entrando luz en la habitación. Oigo ruidos abajo. Me levanto al baño. El suelo de madera está frío. Las baldosas del baño, congeladas. Me bajo el pantalón del pijama y las bragas. Mientras meo veo una masa marrón en ellas, parte se ha vuelto costra. La toco y es una especie de moco. Qué asco. Me limpio después de hacer pis con el papel higiénico y está lleno de sangre. ¿Qué es esto? ¿Será la regla? ¿O qué es? ¿Qué hago? Me limpio hasta que no mancho más y me pongo un montón de papel haciendo tapón. Voy a la cocina. Águeda está metiendo leña en el fogón. Me sonríe. Yo lo intento, pero no me sale la sonrisa.

–Cariño, ¿estás bien?, me dice.

Yo muevo la cabeza diciéndole que no. Veo un cazo grande de leche. Pensar en la leche me da asco y me vuelve el dolor de tripa. Me encojo.

–Me duele mucho la tripa, Águeda.

Se acerca a mí. Yo quiero decirle que estoy sangrando, pero me da mucha vergüenza, pero si no se lo digo no sé qué hacer y a Bego sé que todavía no le ha bajado y ella seguro que tampoco sabe qué hacer si se lo cuento.

–¿Dónde te duele?

–Aquí abajo...

–¿Estás descompuesta?

–No, pero...

–Amaia, ¿a ti no te ha venido todavía el periodo, verdad?

–Es que, creo, igual, ahora...

–Ay, madre, ¿te ha venido aquí?

Yo asiento con la cabeza y ella me da un abrazo muy fuerte y me estruja contra su pecho.

–Lo siento, le digo.

–Por dios, hija, ¿qué vas a sentir? Bueno, lo primero es lavarte. Y te voy a dar una compresa. Y después te tomas una manzanilla bien caliente.

–Vale.

–Vamos al baño.

Me da una toalla pequeña y me dice que me lave en el bidé. Sale un ratito del baño y después vuelve. Me cubro con la toalla. Me enseña una compresa.

–¿Sabes cómo se ponen? Es muy fácil. Mira.

Abre una, le quita la banda y la pega contra un braguita limpia que ha traído ella; me la da para que me la ponga.

–Sólo tienes que asegurarte de que cubres bien toda la zona, para que se empape ahí la sangre y no tengas ningún accidente.

–¿Y eso de los tampones?

–Sí, también puedes usarlos, pero son un poco más difíciles de poner.

–Ya...

Ella se queda un momento callada.

–¿Has hablado con tu madre de todo esto?

–No. Pili me ha contado alguna cosa y mis amigas de clase...

–Después de desayunar nos vamos tú y yo a dar un paseo, ¿vale?

–Vale.

No me lo estoy pasando nada bien. No se me va el dolor de tripa. Bego apenas me habla. Iker se va con Modes a por setas, pero Modes no me dice que vaya con ellos. Parece que Águeda le ha dicho lo de mi regla y me dejan con ella. Vamos a dar un paseo y me cuenta que mi cuerpo va a cambiar, que tengo que tener cuidado con los chicos, que ya no soy una niña, que tengo que acostumbrarme a que todos los meses me pase esto.

–¿Y siempre duele tanto?

–Es posible que sí. A algunas mujeres les duele mucho. Pero a veces va por temporadas.

–¿Y ya no voy a crecer más?

–Sí, todavía igual creces un poquito, pero posiblemente no mucho.

No me gustan sus respuestas.

–¿Se lo puedo contar a Bego?

–Sí, hija, por qué no.

–Es que como está de tan mal humor...

Águeda no dice nada. Después del paseo volvemos a casa y Bego está haciendo sus ejercicios de ballet en el salón. No me hace caso. Cuando estamos un rato solas en la habitación, yo se lo cuento y ella me mira como si yo fuera E.T.

–Yo no quiero que me baje.

–¿Por qué?

–Porque no quiero que me pase como a ti y me crezcan las tetas.

Yo me las miro y me parecen minúsculas, sobre todo comparadas con las de Gema. Pienso que Bego se está volviendo un poco tonta, pero no se lo digo. El lunes se lo contaré a Patri y a Gema. ¿De verdad no creceré más? Me voy a quedar en metro y medio. Qué mierda.

Volvemos el domingo temprano porque está lloviendo y hace demasiado frío. No encontraron ni una seta. Parece que todo el mundo está de mal humor. Nadie habla en el coche. Iker no me hace caso y apenas me mira. ¿Será que se ha enterado y ya no le gusto? Me dejan enfrente del portal.

–Cuéntale a tu madre lo que te ha pasado, Amaia.

Yo no contesto. Si Águeda me dice eso es que todos lo saben, Iker también. Qué bocazas. Sólo le ha faltado anunciarlo en el periódico. Subo a casa. Kepa y Aitor no están. Está ama viendo la tele.

–Qué pronto vuelves, me dice según entro en la sala a saludarla.

–¿Molesto o qué?

–Hija, sólo me extrañaba...

–Me ha venido la regla.

No sé cómo interpretar su cara, si de susto, de pena o de asco.

–Te has hecho mujer, hija...

–No hace falta que me sueltes el rollo, ¿vale? Ya me lo ha soltado la madre de Bego.

No espero a que me conteste. Me voy a mi cuarto. Seguro que ni se molesta en seguirme.

1987

Comida de Año Nuevo. Qué rollo. Viene la abuela. Aitor y Kepa están en la cama. Kepa ha llegado a las nueve de la mañana todo borracho. Aitor ha debido llegar antes. Me toca a mí ayudar a ama y poner la mesa y seguro que después también tengo que recoger yo. Pongo los langostinos en la bandeja. Tienen la cabeza negra. Oigo la puerta. Ya está aquí la abuela. Viene hasta la cocina.

–¡Feliz 1987!

Alarga mucho la e de siete. Y da palmaditas, como si hubiera algo que celebrar.

–Hola, abuela.

–Dame un beso, niña.

Me acerco a besarla. Tiene pelillos en el bigote y la barbilla.

–¿Tus hermanos?

–Están durmiendo.

–¿A estas horas? ¿Y tu madre?

–Se está arreglando.

La abuela suspira hondo.

–Supongo que no sabéis nada de tu padre.

–No, abuela, hoy tampoco sé nada de mi padre.

–Hija, no te enfades, es que han pasado ya tantos meses. Y que ni siquiera llame en estas fechas...

Ama entra en la cocina. Lleva un vestido negro viejo, el pelo mojado pegado a la cabeza, está sin maquillar.

–¿No te ibas a arreglar, ama?

–Ya lo he hecho. Hola, madre.

–Hola, hija. La verdad es que muy arreglada no pareces.

Ama no contesta. Abre la nevera y se queda mirando dentro con la puerta abierta.

–La chiquilla me dice que Amadeo ni siquiera ha llamado.

–Yo no he dicho eso.

–Bueno, la he preguntado y me dice que no sabéis nada de él.

–No, madre.

–Le deberías denunciar por abandono del hogar. Puedes divorciarte por eso.

–¿Ya estamos otra vez? ¿Y de qué como, eh?

–Que yo sepa últimamente comes de tu madre, no de tu marido.

Ama sigue parada aguantando la puerta de la nevera.

–Por si no te has dado cuenta, está la niña delante.

–Sí me he dado cuenta. Y ya no es una niña. Que se vaya enterando de qué padre tiene.

Se piensan que no me entero de nada, que no me he dado cuenta de que ama ya no se compra ropa ni joyas ni nada, ni nos ha comprado ropa nueva este invierno, que comemos más mortadela que jamón, que cuando he ido a enredar con sus collares y pendientes me he dado cuenta de que muchos ya no están ahí, que ama no ha visto a aita desde el verano, cuando le dijo que no íbamos a Portugal y le dejó la cara hecha un cristo.

Ama cierra la puerta de la nevera sin sacar nada de ella.

–Déjame tener hoy un día tranquilo, madre. Bastante difícil es empezar otro año sin mi hijo.

La abuela se calla. Nos quedamos las tres en silencio un buen rato. Supongo que cada una acordándose de Aníbal.

Aitor y Kepa se han levantado para comer. La abuela les hace preguntas que contestan de mala manera. Qué aburrimiento de comida. Y todavía nos queda hacer lo mismo en Reyes, pretender que estamos celebrando algo, como cuando éramos niños.

–¿Os acordáis cuando hicisteis que creyera que habían venido los Reyes Magos a casa?, les pregunto a todos.

Aitor levanta la cabeza. Sonrisa triste.

–Sí, fue idea de Aníbal. Y aita y ama hicieron como que eran los Reyes.

Ama asiente con la cabeza y sonríe. Sonrisa triste.

–Es verdad, y tú te lo creíste todo, dice Kepa riéndose, hasta que había huellas de camello en el pasillo.

–¿Tú ya sabías que los Reyes eran los padres?, le pregunto.

–Claro.

Nos quedamos callados de nuevo. Intento encontrar otra cosa de la que hablar, pero no me sale nada.

***

Hacía mucho que no recibíamos una llamada de ésas. Desde que aita se fue, no llaman insultándonos o preguntando por él. Pero hoy han vuelto a llamar y ha cogido Kepa. Estábamos los tres en la salita, Aitor y yo leyendo, él haciendo como que estudiaba. Ninguno quería levantarse, pero al final lo ha hecho Kepa. Le hemos oído decir «ese hijoputa no vive aquí» y, después de unos segundos, ha colgado el teléfono con un golpe. Se le ha puesto mala cara. Aitor le ha preguntado quién era y Kepa ha dicho que no sabía, que preguntaban por «ése» y que tenía acento raro, como de sudaca, argentino o algo así. Ha dicho que le han llamado «cachorrito de etarra». Hemos llegado a la conclusión de que no son los mismos que antes porque no le dirían eso a Kepa. Kepa piensa que son los «compinches fascistas» de aita. Hemos decidido no contárselo a ama.

Kepa se ha ido a la calle. Nos hemos quedado Aitor y yo solos.

–¿Tú crees que Kepa tiene razón?

–¿De qué?

–Pues lo de los compinches fascistas...

–Bah, no sé. Y Kepa tampoco sabe nada, no le hagas caso.

–Ya, pero tiene sentido, ¿no? Si fueran los mismos que hacían las pintadas y las llamadas, no dirían eso a Kepa, que es de los suyos. Y si era argentino... ¿has visto alguna vez un borroka argentino?

–Sí, no sé, me da igual.

–No quieres hablar del tema...

–Es que estoy harto de todo ese rollo, Amaia.

–¿Harto de qué? ¡Si nunca hablamos de nada!

–Mira, tú no te has enterado de la mitad, pero yo sí, yo he tenido que aguantar muchas cosas desde lo de Aníbal.

–¿El qué?, le pregunto.

–Pues insultos, que si aita es un facha, un chivato, un traidor, un agente de los GAL, un traficante, que si Aníbal era su camello...

–Bueno... todo eso ya lo sé. Son los rumores del pueblo. Pero ¿crees que son verdad?

–Lo de Aníbal, no. Lo demás, no lo sé. Y la verdad es que prefiero no saberlo.

–¿Y quién te dice esas cosas?

–Pues al llegar al insti me lo decían los chavales de clase. Pero ésos ya no se meten conmigo. Los que siguen diciendo todas esas cosas son los amigos de Kepa.

–No entiendo qué hace Kepa con ellos.

–Pues demostrar que no tiene nada que ver con su padre.

–¿Y con él no se meten?

–¿Con él? Pero ¡si es el más bestia de todos!

Oímos la puerta de la entrada. Llega ama con los recados del supermercado. Nos levantamos a ayudarla.

–¿Y Pili?, le pregunto a ama.

–Pili ya no trabaja en casa por las tardes. No tiene ningún sentido. Necesito cortar gastos.

–Jolín, podrías habernos dicho algo, le digo.

–¿Para ayudarme a cargar la compra?

–No, ama, para saber que ya apenas la veremos, le contesto.

***

¿Es ése Iker? Sí, es él. ¿Qué hará solo en el banco? Ay, qué vergüenza, encima con este uniforme de mierda. Me ha visto. Me acerco.

–Aúpa, Iker.

–Hola, Amaia. ¿Qué, acabas de salir de clase?

–Sí, iba pa' casa. ¿Qué haces aquí?

–Nada, tomar el aire.

Espero a que diga algo más. No dice nada.

–Bueno, me voy.

–No, espera, quédate un poquito.

Me quito la mochila y me siento a su lado en el banco. Se está bien en la calle. Todavía dura el calorcito del verano.

–Joder, vuestro uniforme es el más feo del mundo.

–Ya, tío, no hace falta que me lo digas.

Iker me mira y me sonríe.

–El curso que viene te cambias al insti, ¿verdad?

–Sí, por fin. No quiero volver a ver una monja en la vida.

–Nos veremos todos los días.

–Supongo.

Lo que pienso es «espero».

–¿Cómo está Bego?

No sé por qué se lo he preguntado. En realidad, me da igual.

–Bah, está loca, tía. Sólo piensa en el ballet y en comer manzanas. Mi ama ya no sabe qué hacer con ella.

–Pobre.

Me refiero a su madre, claro.

–Mi ama le pregunta por ti.

–Ya.

–¿Qué os pasó?

–No sé. El verano separadas, supongo.

–Podrías haber venido a Otsagabia otra vez, y no quedarte aquí.

–Nadie me invitó.

Nos quedamos callados un rato. Yo le quiero decir que su hermana es gilipollas y que me dijo que no podía ir con ellos y que a sus padres yo les daba pena porque era como una huérfana porque mi padre nos ha abandonado y mi madre es una borracha. Y a saber qué le dijo a Águeda para que no me invitara. Pero ya me da igual. Paso.

No sé de qué más hablar, pero no me quiero ir.

–¿Y qué tal con Kepa?, me dice.

–Ése está más loco que tu hermana.

Iker suelta una carcajada.

–Lo digo en serio, tío. Y tú lo sabrás, que vas con él a clase.

–Bah, apenas me habla.

–¿Sí? ¿Y eso?

–No sé. Está supergallito. Y casi nunca va a clase. Se pasa el día pintando pancartas, colgando carteles y convocando huelgas. Ya lo verás cuando vayas el año que viene.

–Prefiero no verlo.

–Pues no te va a quedar más remedio.

No quiero hablar de Kepa ni de sus movidas. Bastante tengo con aguantarle en casa.

–¿Podemos cambiar de tema?

–Perdona. No te enfades, tía.

Iker se queda cortado. No encontramos otro tema de conversación. Yo estoy molesta y de repente me siento cansada. Me levanto del banco y cojo mi mochila.

–Bueno, Iker, me voy pa'casa.

Iker me mira con pena.

–Vale. Agur.

–Agur.

1988

Este cumpleaños sí que me lo voy a pasar bien. Nos vamos a disfrazar de brujas y vamos a ir a la Bajada de Carnaval. Hemos puesto bote y nos hemos comprado sombreros, escobas y maquillaje. Bajo al portal. Están las cuatro esperándome. Vamos todas vestidas de negro: Gema con una falda larga que debe ser de su madre porque le queda enorme; Patri con pantalones y jersey de cuello alto, como yo; Egus y Susana enseñando pierna con medias negras y minifaldas cortísimas. Vamos juntas a casa de Ibana para prepararnos. Su ama es supersimpática. Nos ayuda a maquillarnos. A mí me pinta mucho los ojos de negro y me encantan. Me veo muy guapa de bruja, yo creo que voy a adoptar este estilo. La madre de Ibana ha hecho una tarta de chocolate y ha dibujado con crema roja ZORIONAK AMAIA y ha puesto catorce velitas rojas, que soplo mientras todas me cantan. Estoy contenta y triste a la vez. Ama ni siquiera ha comprado unos pasteles y aita no ha llamado para felicitarme. Tere es la que más me gusta de todas las madres de mis amigas. Supongo que le doy un poco de pena. Otras madres no son así. La de Susana es una cabrona, pero es porque es amiga de Matilde, la hermana del tío Josu. A saber qué escucha

Susana de mi familia en su casa. La tarta está buenísima. Me como dos pedazos. La tomamos con Coca-Cola y Kas de naranja. Egus saca, no sé de dónde, una petaca y, sin que Tere nos vea, tomamos sorbitos. Está asqueroso. Egus no sabe lo que es. Se lo ha cogido a su padre del mueblebar de casa. A mí me recuerda el olor del coñac de ama y bebo muy poco. Salimos montadas en nuestras escobas y echamos a correr por la calle. Damos gritos y asustamos a las viejas. ¡Viva el Carnaval! Llegamos al inicio de la bajada, sudadas y alborotadas. Es una locura. Hay mogollón de grupos con disfraces muy divertidos. Unos van de los de la serie *V*, pero en versión cutre: con caras pintadas de verde y buzos rojos y todos llevan un ratón de plástico en la mano y hacen como que se lo comen. Hay otro grupo que van de personajes de *Astérix*. Están superlogrados. De Obélix hace Patxi, el primo de Ibana, que está tan gordo que no necesita relleno para el disfraz. ¿Y ésos? Ay, qué pesados, van de presos y llevan la pancartita de siempre: «Presoak kalera, amnistia osoa» y un cartel con la foto de ese que detuvieron hace unos meses «Iñaki, Askatu», dice. Pasamos al lado de ellos y, vaya por dios, ¿a quién me encuentro? A Kepa. No le he visto salir de casa disfrazado. Se lo habrán dado en la Herriko Taberna. Hace como que no me ve. Mejor. Yo creo que Gema también le ha visto, pero no me dice nada. Seguimos andando entre los grupos, mirando los disfraces. El nuestro es de los más sencillos, pero no nos importa. Nos lo estamos pasando genial. Hay un grupo de gondoleros y ¡se han fabricado hasta las góndolas! Empieza la música de la banda municipal y nos ponemos detrás de ella. Empezamos a bajar la cuesta con ellos, cantando y bailando. Paramos muchas veces en el recorrido, corremos entre la gente, subimos y bajamos entre los grupos. Volvemos a seguir a la banda municipal, o a la banda de los gallegos y hacemos el tonto bailando muñeiras, o Patri y Susana se unen al club de danzas y se marcan un zortziko con la escoba en la mano. Hace frío y empieza a llover, pero no lo sentimos. No nos importa. Seguimos bailando, cantando y haciendo el indio hasta que no podemos más y acabamos sentadas en un banco del parque, comiendo pipas.

***

Aitor hoy ha dicho que se va. Se ha matriculado en filosofía en la Complutense y se va a Madrid. Ni siquiera espera a que empiece el curso. Se va en julio o incluso antes, en cuanto acaben las clases. Dice que para buscar piso y un curro. Ama no le puede pagar la carrera. Con aita ni cuenta, claro. Y la abuela dice que no le da para más. Ama ha tenido que echar a Pili del todo porque no tiene dinero para pagarla. Dice que ya no le hace falta, pero es mentira. La casa está siempre supersucia. La única que limpia soy yo. La abuela quiere que ama se ponga a trabajar, pero ama no sabe hacer nada. O que se divorcie de aita y que le pase un dinero al mes, pero ni siquiera sabemos dónde está ahora. Y ama nunca se atrevería a pedírselo. Echo de menos a Pili.

***

Se acabó octavo. Meto el uniforme en una bolsa. También los calcetines marrones y los zapatos marrones y el jersey marrón. Mierda. Color de mierda. Bajo la bolsa al contenedor de la basura. Se acabó. Colegio de mierda. Monjas de mierda. Ahora a pasar el verano, otra vez en la piscina municipal.

***

Estoy muy nerviosa. Hay un montón de chicos y chicas alrededor de la puerta de hierro. No conozco a nadie. Kepa me ha dicho que podía subir con él, pero que teníamos que pasar a buscar a Goiko y a mí ese tío me cae fatal. Hace con Kepa lo que le da la gana. En cuanto le llama, pierde el culo por él. Además es un broncas. Todo el mundo sabe en lo que anda. Como si Kepa necesitara ayuda para meterse en líos. Tendría que haber seguido siendo amigo de Iker en vez de juntarse con esos brutos. Me hubiera gustado llamar a Iker para ir con él, pero me ha dado vergüenza. Además, si Águeda o Modes cogían el teléfono no hubiera sabido qué decir. Y si lo cogía Bego peor todavía. Podría haberme llamado él, ¿no? Entro en el edificio. La planta baja es amplia. También aquí hay un montón de gente. Hay unas escaleras de metal. Nos apelotonamos para subir a las aulas. Las caras de algunas chicas reflejan el miedo que siento yo. Seguramente serán también de primero e irán a mi clase o a primero B o a C. ¡Aquí hay hasta C! Busco mi aula en el primer piso. Hay un pasillo muy largo, con puertas a cada lado. Veo 1A. Entro. Hay unos cuantos chicos y chicas ya sentados, cada uno a lo suyo excepto tres chicas que hablan y se ríen. Ésas se conocen de antes. Yo no conozco a nadie. Todavía no me puedo creer que éstas prefirieron quedarse con las monjas, que ninguna se haya cambiado al instituto. Los padres se creen que aquí somos todos o borrokas, como Kepa y sus amigos, o gitanos o yonkis. Aníbal. Qué mierda. Estaría ya en la universidad. Escojo un pupitre vacío al lado de la ventana que da al patio. Me fijo en las chicas de la clase. Todas parecen mayores que yo. Qué feos son todos los chicos.

Miro por la ventana al patio. Todavía queda mucha gente afuera, aunque son casi las ocho. Igual es que hacen pira, como aquí dicen que no pasan lista. Seguro que es lo que hacía Aníbal, quedarse ahí en el patio. ¿Se sentaría alguna vez en este pupitre?

–¡Amaia!

Me giro y es Iker, entrando en mi clase. Me estoy poniendo roja. Mierda.

–Hola, Iker.

–Ya veo que has pillado el mejor sitio.

Le sonrío, seguro que con cara de idiota.

–Bueno, sólo te quería dar la bienvenida a este antro. Te paso a buscar en el recreo, ¿vale?

–Vale.

La clase está casi llena. Algunos me miran, seguro que con envidia. El primer día de clase y un chico de tercero me viene a buscar. Ya no me importa ser la más canija.

* * *

Nunca había venido a este barrio. Estamos sentados en círculo en unos soportales de un edificio que parece abandonado. Hace frío. Había quedado con Iker, pensando que íbamos a estar solos, pero estamos con tres amigos suyos. Han comprado litronas de cerveza y están pasándose un par de porros. La cerveza no me gusta, pero bebo para no quedar mal. Me pasan el porro. Nunca he probado uno. A Aitor le prometí que nunca fumaría costo, pero no quiero decir que no. Pego una calada. Me quema los pulmones. Me atraganto. Uno me pasa la litrona. Pego un trago muy largo. Se ríen.

–No tienes que fumar si no quieres, Amaia, me dice Iker.

Yo le sonrío. Hoy está muy guapo, con un jersey azul de marinero que le queda un poco grande y unas Martens granates.

Pasamos así un rato, bebiendo y fumando. Pego un par de caladas más. Estoy muy mareada. Es como si no sintiera las extremidades.

–Amaia, no bebas más, no fumes más, me dice Iker.

–Déjala, tío, que no eres su hermano.

–No le deis más, ¿vale?, ¿no veis que no está acostumbrada?

Me da rabia que me trate como una niña. Cojo la litrona y pego un trago larguísimo. Me la quedo en la mano.

–¿No ves cómo le gusta?, le dice su amigo.

Cierro los ojos y estoy así un rato. Me gusta la sensación de no enterarme de nada, no sentir nada. Me gusta el zumbido que siento en los oídos. No poder mover las manos. Sentir un cosquilleo en la nuca. Me da la sensación de que Iker me está hablando, pero no me apetece escucharle. Veo sus botas. Está de pie. Sí, me está hablando, pero no entiendo. Me coge de un hombro. Ahora sí le oigo.

–Amaia, vámonos.

No me da la gana. Le quito la mano de mi hombro de un manotazo. No quiero moverme. Quiero más cerveza. Le doy otro trago a la litrona.

–Amaia, yo me voy.

Me da igual que se vaya. Yo no me pienso mover.

–Venga, tío, vete. Ya la cuidamos nosotros.

–Sí, vete, le digo.

Me entra la risa.

Ellos se ríen. Le dicen algo de empollón. Se ríen más.

Veo las Martens darse la vuelta. Se va. Uno de ellos se sienta a mi lado. Me acaricia el pelo. Me gusta. Me coge de la cara. Abro un poco los ojos y le veo muy cerca. De repente siento su lengua en mi boca. La mueve mucho y a mí me da un poco de asco, pero no le aparto. Siento su mano fría por debajo de mi jersey. Me está tocando una teta. Me la aprieta. A mí me entra la risa. Se separa de mí. Se sienta otro en el otro lado y me da la vuelta bruscamente. Hace lo mismo que su amigo, pero me gusta más. Me siento encima de él. Me gusta. Nos besamos y dejo que me toque las tetas. Me sube el jersey. No siento frío. Me froto contra él. Nos besamos hasta que nos empapamos de babas. Cuando nos separamos coge la litrona y me da de beber más. Otro amigo me toca el hombro para que me dé la vuelta, pero no quiero. Quiero seguir con éste. El me mira y me sonríe, pero me separa de él y me empuja hacia el otro. Me pasan un porro. A mí no me apetece fumar más. No me apetece beber más. Me quiero ir. Me levanto. Todo se mueve.

–Eh, dónde vas, me dice el tercero.

A mí no me sale responder, sigo andando hacia unas escaleras que cambian de distancia con cada paso. Siento que me cogen el brazo con fuerza.

–No hemos acabado, me dice el mismo.

Me empuja hacia donde están los otros, pero yo le devuelvo el empujón y casi se cae al suelo.

–Me voy, creo que le digo.

Salgo corriendo y voy a bajar las escaleras, pero me tropiezo y me caigo.

–¡Puta! ¡Borracha!, oigo a lo lejos. Y risas.

Me levanto como puedo. Me he roto el pantalón por la rodilla. Me agarro a la barandilla para bajar. No sé adónde ir. No puedo ir a casa. Me quedo sentada en un parquecillo. Me entra el sueño. Se me debe notar que estoy borracha porque esos niños no hacen más que mirarme. Tengo mucho frío. Entro en un bar que hay enfrente del parque y pido un café solo. El camarero me mira con cara de pena. No hay nadie más en el bar. Menos mal. Voy al baño. Me lavo la cara. Me siento en el inodoro. No sé qué pasa; oigo golpes en la puerta.

–¿Estás bien? ¿Qué haces ahí?, es la voz del camarero.

Me he debido quedar dormida. Me duele el culo de haber estado sentada en la taza del váter.

–Ya salgo, respondo.

Me vuelvo a lavar la cara y salgo. El camarero me vuelve a mirar con cara de pena. Sigue sin haber nadie más en el bar.

–¿Qué, te pongo otro café?

–Sí, gracias.

Me tomo el café despacito. Siento que me tambaleo.

–Eres muy joven para andar así, me dice.

Yo me encojo de hombros. Si estuviera mejor, igual le mandaba a tomar por culo. Me acabo el café.

–Gracias, le digo al salir.

Estoy mareada y tengo náuseas. Me voy a casa. No sé por qué me preocupo. Ama no se dará cuenta de nada.

Me despierto con lo que supongo que es resaca: la boca pastosa, un dolor de cabeza tremendo, sensación de mareo. Pienso en mi madre y me doy pena. Cagarla de esta manera debe ser cosa de familia. Estamos todos tarados. Yo no iba a ser la excepción. No. La excepción es Aitor. Seguro que él hubiera controlado un poco o se hubiera ido a tiempo. Aunque siendo chico, nunca le hubiera pasado lo que a mí. ¿Con qué cara me presento el lunes en el instituto? No sé ni lo que hice. Sí, sí lo sé. ¿Y qué va a pensar Iker de mí? Le dará la razón a la gilipollas de su hermana. Seguro que ya le han contado lo que hicimos. Iker es un cabrón. Él sabía lo que estaba pasando. Y se fue. Me dejó ahí. Y ahora, ¿con qué cara me presento el lunes en el insti?

* * *

–Hija, me gustaría ir al puerto, ¿me acompañas?

La miro. Está parada al pie del sofá. Qué cara de súplica. Como si le fuera la vida en mi respuesta.

–No me apetece, ama, quiero leer.

Se queda de pie al lado del sofá. Cuento hasta doce.

–Acompáñame, anda, que no quiero ir sola.

–Joder, ama, pues compra el pescado en el súper.

Se vuelve a quedar ahí pasmada. Cuento hasta diez.

–Echo de menos el pescado del puerto.

–No haber despedido a Pili.

–¿Y quién iba a pagar su sueldo?, ¿tú?

Pienso que lo que se gasta en alcohol podría cubrir por lo menos un par de horas de Pili, lo suficiente para ir a hacer la compra a todos los sitios en los que ella no se atreve a dar la cara.

–Por esta vez hazme el favor, Amaia.

Por esta vez, dice, como si fuera el único que me ha pedido. No me va a dejar en paz. En eso es igual que la abuela. Pilla presa y no suelta. Me levanto de mala gana, resoplando para que no quepa duda de que me molesta hacerlo.

Me pongo el jersey, las botas. Salimos juntas y recorremos las calles sin dirigirnos la palabra hasta el puerto. Entramos en la lonja. Cogemos número para el puesto de Genari. Hay bastante gente. Ama echa un vistazo a las cajas. Me señala un par de cabrachos y sonríe. Hace tiempo que no la veo sonreír así. Yo también sonrío. Esperamos pacientemente, vigilando los dos cabrachos que de momento nadie pide.

–¡El cuarenta y ocho!, grita Genari.

–¡Nosotras!, grita ama con el número en la mano.

–¡El cuarenta y nueve!, grita Genari.

–¡Oye, Genari, que nos toca a nosotras!

Ama, que tiene el número en la mano, lo agita enfrente de la cara de Genari, que mira alrededor como si no la viera y vuelve a gritar:

–¡El cuarenta y nueve!

Un hombre de unos sesenta años con una txapela gigantesca mira a mi madre, la mira a Genari.

–Yo tengo el cuarenta y nueve, pero esta mujer...

–A ver, guapo, ¿qué te pongo?, le dice Genari.

–Quería esos dos cabrachos, pero esta mujer...

Mi madre se da la vuelta y se va. Yo la miro a Genari, que me mira con una ceja levantada.

–Eres una hija de puta, le digo.

Me doy la vuelta y me voy detrás de ama. Está llorando. La cojo de la mano para cruzar el semáforo.

–Lo siento, ama.

Y lo siento de verdad.

* * *

Hoy he recibido carta de Aitor. Ha flipado con la historia del puerto. No sé de qué se extraña, como si no supiera lo que pasa aquí. Lo lleva claro si piensa que puede escaparse de todo esto. «El etarra», le llaman en la uni. Y eso que son chavales de filosofía y se supone que piensan. Aun así, me da envidia lo que me cuenta de su vida en Madrid. Me gustaría conocer a sus compañeros de piso. ¡Un marroquí y un canario! Y ver el ambiente de la universidad, a pesar de esos gilipollas. Me imagino grupos de hippies, punkies, heavies, por ahí tirados en la hierba o haciendo pintadas en los pasillos. Y sin borrokas dando el coñazo. Incluso su trabajo en la librería suena bien, aunque le paguen una miseria. Puede leerse los libros sin comprarlos y los que se compra se los dan a precio de saldo. A ver si por Navidad me trae alguno. Si viene, claro. ¿Navidades con Kepa, ama y la abuela? Me muero.

Me pregunta por Kepa y por Iker. Normal que le extrañe que no le cuente nada de ellos. De Kepa, ¿qué le voy a decir? Lo único que sé de él es que apenas para en casa, que en el insti está metido en todos los comités políticos y cuando me ve en los pasillos se hace el orejas, y que Gema me dijo que su hermana le ha dicho que en la última manifa en Portu le vio moviendo un coche para quemarlo. El muy idiota ni se había tapado la cara. Si le cuento esto a Aitor, le va a dar algo, así que mejor me lo callo. Y lo de Iker, ¿cómo se lo voy a explicar? ¿Qué le digo, que le doy asco? Ni siquiera me mira. Todavía me muero de vergüenza al recordar ese día.

1989

Estoy con Gema jugando con un gatito que le acaban de regalar por su cumpleaños.

–¿Sabes cuál es uno de los primeros recuerdos que tengo?

–¿Cuál?

–Mi padre tirando un gato por la ventana.

–¡¿Qué?!

–Sí, mi madre lo niega, pero yo me acuerdo perfectamente. Tenía tres años. Me trajo un gatito. Empecé a jugar con él y me arañó. ¿Ves esta marca en la ceja, donde me falta pelo?

–Sí, siempre te la tocas cuando estás nerviosa.

–Pues es del gato. Me dio un arañazo, empecé a llorar y llamé a mi padre. Vino y, cuando me vio sangrando y vio que había sido el gato, lo cogió por el cuello, abrió la ventana y lo lanzó por los aires.

Gema no puede contener la risa. Yo la miro muy seria y se empieza a reír histérica. Me da mucha rabia.

–Tía, pero ¿de qué te ríes?

–Perdona, tía, no es risa normal, es que no sé qué decir, es muy fuerte...

–¿Qué te parece si tiro yo el puto gato por la ventana?

–No te cabrees, Amaia, perdona. Es que a veces me cuentas unas historias...

–¿No te lo crees?

–Sí, sí... el problema es que sí me lo creo. Venga, tranquilízate, tía.

No me extraña que Gema no entienda. Ella tiene una familia de lo más normal. Padres funcionarios, una hermana con la que se lleva medianamente bien, vacaciones en Benidorm, paga semanal, ropa de marca. Para ella soy un bicho raro, como para el resto de mis amigas. Gema se ha puesto seria.

–¿Y qué le pasó al gato?

–Y yo qué sé. No recuerdo que nadie nos trajera el cadáver. Igual sobrevivió.

–Seguro que sí, ya sabes lo que dicen de los gatos. Joder, qué bestia tu padre.

–¿Tienes tabaco?

–Sí, ¿bajamos a echarnos uno detrás del colegio?

–Venga.

***

Llega una carta. Va dirigida a mí. Al principio creo que es de Aitor pero me extraña que no tiene remitente y mi nombre y dirección están escritos a máquina. La abro y me da un vuelco al corazón.

* * *

–Hija, arréglate, que nos vamos a Bilbao de compras.

Ama ha entrado en mi habitación de sopetón, sin llamar. Tiene la voz tan alegre que casi no la he reconocido.

–¿De qué me hablas, ama?

–Que nos vamos de compras.

–¿Y eso, te ha tocado la lotería?

–Tu padre me ha hecho un ingreso.

–Pues sí, la lotería. ¿Estás segura de que ha sido él?

–Sí, el ingreso viene de «Gamusino». Es nuestro nombre secreto, como yo le solía llamar.

–Ya.

A ama se le ha puesto cara de idiota al decir Gamusino.

–¿Y es mucho dinero?

–Lo suficiente para unos cuantos meses y para renovar tu vestuario, que llevas siempre una facha...

–No necesito nada. Vete tú si quieres y cómprate algo.

–¿No quieres que pasemos el día juntas en Bilbao?

–Tengo que estudiar. Llama a la abuela, seguro que le das una alegría.

Me mira con cara de pena. No me apetece una mierda ir con ella a ningún sitio. Se queda parada en la puerta de mi cuarto. La miro impaciente.

–¿No me has oído, o qué? Tengo que estudiar.

–El día que tengas una hija espero que te salga tan retorcida como tú, para que aprendas.

–No voy a tener hijos. Y para que sepas, ese dinero que has recibido me lo debes a mí.

Me mira desconcertada. Saco de mi escritorio la carta que me envió aita y una copia a sucio de la que le envié yo. Si quiere hija retorcida, va a tener hija retorcida.

–Mira. ¿No crees que el ingreso es una respuesta a esto?

Ama lee las dos cartas rápidamente. Se sienta en la cama y se pone a llorar histérica. Hace mucho que no la veo llorar así.

–Hija, ¿así ves a nuestra familia?

–Ésta es la familia que tenemos; no me estoy inventando nada.

–Con lo buena que eras de niña...

–A ver, ¿qué digo ahí que no sea verdad?

Ama sigue llorando. No puedo controlar la rabia.

–¿Qué te molesta? ¿Que le diga que estás alcoholizada? ¿Que si no fuera por la abuela hubieras acabado de puta? ¿Que vivimos en la miseria? Es la puta verdad.

No me responde.

–Ahora tienes tu dinero, ¿no? Pues vete de compras y déjame en paz.

Salgo de mi habitación y la dejo ahí llorando. La cogería de los pelos y la machacaría contra la pared. Salgo de casa con un portazo. Paso la tarde caminando. Cruzo el Puente y me voy hasta el Puerto Viejo. No he cogido chupa y tengo frío, pero me da igual. Pasan las horas. No me quito de la cabeza el mismo runrún. ¿Con qué derecho me vienen a mí a pedir nada, ni el uno ni la otra? En el fondo, son los dos iguales. Debería irme con aita, por lo menos él tiene pasta.

Vuelvo a casa. Tengo frío y hambre. Están la abuela y ama en la cocina. Me están esperando. Tienen las dos cartas encima de la mesa.

–Amaia, siéntate con nosotras, anda, me dice la abuela.

–¿Qué hay para cenar?

–De momento, nada, dice la abuela.

–Tengo hambre.

–Madre, voy a sacar algo para picar mientras hablamos.

–Bien, pero la botella la dejas en su sitio.

–Sí, madre.

Me siento mientras ama saca el embutido, el queso y el pan. La abuela me mira seria. Me está poniendo de mala leche. Se sienta ama. Corto un pedazo de queso. Empiezo a comer.

–Deberías haber hablado con nosotras antes de responder a tu padre de tan malas maneras, me dice la abuela.

–Me ha escrito a mí, no a ti ni a ama, le digo con la boca llena.

–Da igual. Todavía eres muy joven para tomar esas decisiones sola.

–Para vosotras soy joven cuando os conviene.

–Amaia, no contestes a tu abuela.

–¿Qué queréis? Me deberíais dar las gracias. Ha mandado dinero.

–Sí, eso es verdad, hija, pero tu abuela tiene razón. No deberías haber insultado así a tu padre.

Se me queda el pedazo de pan con queso atorado en la mitad de la garganta. Lo trago y siento que me raspa.

–Ama, la última vez que le viste casi te manda al hospital.

–Sí, pero es tu padre y te quiere, dice la abuela.

Miro a ama, pero ella no me mira. Juguetea con las cutículas de sus uñas, empujándolas hacia abajo.

–No entiendo nada. ¿Qué me estáis diciendo? ¿Que le diga que sí y me vaya con él en verano?

–Bueno, no estaría de más que se hiciera cargo de alguien en la familia, por lo menos de ti. Y tu madre bien sabe que llevas no sé cuántos veranos amargada, desde que ésos no te llevan a Otsagabia.

–Ama no se quiere quedar sola, ¿verdad, ama?

Sigue jugando con sus cutículas.

–Me tiene a mí y a Kepa.

–¿A Kepa?

Espero a que ama ahora sí diga algo, pero no se inmuta. Ahí sigue, con sus putas cutículas.

–Además, tú siempre has sido el ojito derecho de tu padre. Seguro que te tratará de maravilla. Aunque con las barbaridades que le dices en esta carta...

–Pues las mismas que dices tú de él.

–¡Descarada!

–Bah, me voy a mi cuarto.

–¿No le vas a decir nada a tu hija?

Ama no contesta. Mete la cabeza entre las manos. Salgo de la cocina sintiendo la bola de pan y queso en mitad del esófago.

* * *

–Me voy este verano a Galicia con mi padre.

–¿Tu padre? ¿De dónde ha salido tu padre?, me pregunta Gema.

–Me ha enviado una carta.

–¿Tu padre?, dice Patri.

–Joder, sí, mi padre.

Las dos se quedan calladas unos segundos.

–¿No te da miedo?

–¿De qué?

Gema se encoge de hombros. Tarda un rato en contestar.

–No sé, entre lo que se oye de él y lo que cuentas tú...

–A ver, es que no me quiero volver a quedar todo el verano en este puto pueblo. Vosotras os vais y el resto de la cuadrilla también. Soy la única pringada que no tiene pueblo ni casa de veraneo. Y estoy hasta las narices de Kepa y de mi madre y de mi abuela.

–¿Y Aitor?, me pregunta Gema.

–Se lo llevan sus amigos del piso, uno a Marruecos y el otro a Tenerife o Lanzarote o no sé dónde.

–Igual puedes venir conmigo a Noja, no es tan exótico pero..., dice Patri.

–Ya, claro, como el año pasado, que estuve una semana y tus padres me echaron.

–No es eso, tía, es que iban a venir mis primos y el apartamento es superpequeño.

–Bueno, el caso es que estoy más colgada que un chorizo.

–¿Y tu ama qué te dice?, pregunta Gema.

–Es ella la que me dice que vaya. Piensa que mi padre está arrepentido y quiere volver a la familia, empezando conmigo. Y mi abuela quiere que mi padre empiece a soltar pasta, para eso me envía a mí, de recolectora.

–¿Y se lo has contado a Aitor y a Kepa?, pregunta Patri.

–No...

–Pero ¿tú quieres ir? Igual puedes irte a Noja, ¿verdad, Patri?

–¿Quieres que hable con mis aitas?

Me encojo de hombros. Realmente a estas alturas me da todo igual. Vaya mierda de año. A veces me arrepiento de haberme ido del colegio, aunque cuando me acuerdo de las monjas se me quita el arrepentimiento. Si Gema y Patri estuvieran en el instituto conmigo sería todo perfecto: tendríamos el mismo horario, iríamos juntas a clase, estaríamos juntas en los recreos, podríamos hablar de los profes y de los chicos de clase y de los chicos mayores. Y seguro que no me hubiera pasado aquello con los amigos de Iker. Algún día se lo contaré a las dos, pero me da mucha vergüenza. Quiero que acabe el curso. Quiero irme de aquí.

***

Llego a la estación de autobuses de Santiago. Está muy oscuro y no veo a nadie. Se supone que aita me venía a buscar, pero no le veo. Voy a sacar la bolsa del maletero. Se ha movido hasta atrás del todo y el conductor no abre la otra compuerta, así que me tengo que meter ahí dentro para sacarla. Me cuesta mucho salir, a gatas, arrastrando la maleta. La doy un empujón y la lanzo volando al suelo. Cuando levanto la cabeza para salir del maletero me topo con la cara de mi padre.

–Sigues gastando la misma mala hostia, ¿eh, Amayita?

Empezamos bien. Me da la mano para que salga. No se la cojo.

–Hola.

–¿No me das dos besos?

Le doy dos besos con pocas ganas.

–Venga, vamos a comer, que vendrás muerta de hambre. Qué alta estás, hija, y qué delgada.

–Mido metro cincuenta y ocho, aita, y mi culo parece una plaza de toros.

Se ríe y me da un abrazo. Me tenso. Está mucho más calvo y más gordo de lo que recordaba y es casi tan bajito como yo. No me extraña que le parezca que soy alta y delgada.

–Qué humor de perros traes, hija, a ver si se te pasa con una buena mariscada.

Joder, marisco. Ni me acuerdo la última vez que he comido una nécora. Salimos de la estación. Se para delante de un Mercedes negro gigantesco. Abre las puertas con una llave automática. Flipo.

–Ya veo que no te va nada mal, menudo cochazo tienes.

–Bueno, el coche no es mío, es del trabajo.

Nos metemos dentro. Huele a coche nuevo y a cuero. También un poco a tabaco y no sé qué más.

–¿Trabajas para una empresa?

–Para un empresario.

No dice nada más. Tampoco pregunto aunque no entiendo la diferencia. Salimos de la ciudad a toda velocidad. La carretera tiene muchas curvas y la mayoría del tramo es de sólo un carril. Adelantamos camiones y coches más lentos, a veces con el tiempo justo de volver al carril.

–¿Te acuerdas de cuando jugábamos a las carreras, hija?

Le miro. Me sonríe. No me apetece contestarle.

Llegamos en menos de una hora a un pueblo con mar muy bonito.

–En esta costa se come el mejor marisco del mundo, hija, ya vas a ver. Mi casa está muy cerca de aquí. Te va a gustar.

Está al lado de una playita muy tranquila y muy cerca de las playas grandes y del paseo marítimo. ¡Y mira qué maravilla de tiempo hace!

Es verdad, hace un día precioso. En Santiago estaba mucho más oscuro. El cielo tiene un azul muy intenso, diferente a nuestro azul, que parece siempre sucio. Y la mar está tranquila.

También es verdad que nunca he comido nada tan rico. A aita le conocen en el restaurante y le tratan como a un marqués. Está zampando y bebiendo como si fuera el fin del mundo. Yo tampoco me quedo corta. Me ofrece vino, pero yo le pido una tónica. A mitad de la comida aita se pone serio y me mira fijamente, como queriendo saber qué estoy pensando. Me parece que se le están humedeciendo un poco los ojos.

–Hija, no sabes lo feliz que me hace tenerte aquí.

Yo no sé qué contestarle. Le sonrío como puedo y me meto a la boca la cola entera de una cigala.

* * *

¡Qué pasada de casa! ¡Si la viera ama! Azulejos, maderas, ventanales enormes, escalera de caracol, escalera de servicio, jardín gigantesco, garaje doble... una cocinera y una señora de la limpieza. A la abuela se le pondrían los ojos del Tío Gilito. La abuela. Los achuchones que me dio cuando me fui: que si me portara bien, que si tuviera paciencia, que si no me preocupara por ama, que ella la iba a cuidar. Es una pesada, pero también la pobre vaya marrón tiene encima, con una hija alcohólica e inútil y tres nietos a los que mantener. Bien pensado, si viera cómo vive aita, le sacaba los ojos.

Hay un ambiente extraño en la casa. Aita siempre está metido en su despacho, rodeado de papeles y recibiendo a gente, como *El Padrino*, y con su mano derecha, Pazos, susurrándole al oído. Es un tío raro, ese Pazos. Y feo como un dolor.

He empezado a correr todas las mañanas. Hoy también madrugo para hacer la carrera antes de que apriete el sol. A ver si no me pierdo. En vez de ir hacia la playa, tomo el camino del interior. Paso por delante de la vieja casa de piedra y los viñedos. El señor de la boina a rosca me saluda. Sigo corriendo no sé cuánto tiempo. No pienso. Llego a la bifurcación de ayer, pero hoy tomo el camino de la izquierda. Subo una cuesta. Bajo otra. Tomo otro camino a la derecha. Otro buen rato. Sin parar ni una vez. Veo más viñedos, más casas de piedra, más señores con boina a rosca. Alguna mujer en delantal. Ovejas. Verde. Todos los tonos posibles de verde. Llego de vuelta a la primera casa. Desemboco en el camino inicial. Paso por delante de la casa de aita. No entro. Sigo corriendo y llego hasta la playa. No hay nadie. Me desnudo hasta quedarme en bragas. Me meto en el agua. Está fría. Está deliciosa. Me zambullo. Siento el vacío en mis oídos. Mis músculos se tensan y se relajan. Nado. Buceo. Nado. Hago el muerto. El agua sabe a percebes. Empiezo a tener frío. Mis dedos están arrugados y morados. Salgo del agua y me apoyo en una roca hasta secarme. El sudor de la ropa también se ha secado. Me visto y vuelvo a casa a desayunar. Me siento bien. ¿Feliz?

***

Pazos tiene un hijo dos años mayor que yo, de diecisiete. Hoy va a venir a buscarme para salir. No me apetece mucho. Si es tan feo como el padre me va a dar repelús y si es tan seco me voy a morir del aburrimiento. Me miro en el espejo desnuda. Estoy muy diferente. En pocos días me he puesto morena, ¿he adelgazado algo?, me ha crecido el pelo, hasta creo que se me está ondulando. No sé qué ponerme. Elijo lo de siempre: vaqueros negros y camiseta negra, con otra de manga larga atada al culo por si luego hace frío y para tapármelo. Y las Martens. Bajo al salón a esperar a este tío. Está aita.

–Vaya pintas. ¿Tu madre no te enseña a vestirte?

–¿Qué pasa, voy desnuda?

–Tienes contestación para todo, joder. Sube y ponte un vestido o una falda. Y quítate esas botas, por el amor de dios, que es verano.

–No tengo vestidos ni faldas y tampoco zapatos. Es o esto o las zapatillas de deporte.

Mi padre me mira perplejo. No sé si se ha arrepentido de traerme aquí. En estos diez días apenas hemos hablado, excepto aquel día en el jardín, si a eso se le puede llamar hablar. Fue preguntarle por Carlos y ponerse histérico. Cómo me gritaba «¡ni me lo nombres!». Y cuando le recordé que en su carta me dijo que me iba a contar muchas cosas, se levantó y se encerró en su oficina. Por lo menos no me pegó. Desde entonces, nuestras conversaciones se limitan al saludo más o menos cordial, depende del día. Se lo conté a ama por teléfono y también se puso toda tensa; me dijo que me dejara de historias y que disfrutara el verano. Es difícil disfrutar cuando una se siente el último mono. A veces pienso que se me va a olvidar cómo hablar. Los únicos ratos que veo a aita es cuando comemos juntos, y siempre está Pazos o algún otro. Hablan entre ellos de tonterías y hacen como si yo no existiera. Igual salir con el hijo de Pazos no está tan mal.

–Mañana te voy a dar un dinero y vas a ir al pueblo a comprarte algo de ropa decente. Y unos zapatos.

Me encojo de hombros. Que me dé el dinero. Y me compraré lo que me dé la gana.

Oigo la voz de Pazos y otra voz. Ya están aquí. Joder, qué corte. Entran en el salón. El hijo es casi tan alto como el padre, pero no se parece en nada, por suerte. Pazos es muy oscuro de piel y de pelo y tiene la cara llena de marcas como de viruelas; su hijo es rubio, de ojos claros y parece que todavía ni le ha salido la barba. Se acerca y me da dos besos.

–Hola, Amaia, soy Beni.

–Hola, Beni.

–Hala, Benigno, saca a pasear a esta hija mía, a ver si se deja, que cada día es más arisca.

Me pongo roja. Será imbécil. Me doy la media vuelta y salgo del salón, esperando que Beni me siga.

–Adiós, don Amadeo. No se preocupe que yo se la cuido.

¡Yo se la cuido! ¡Don Amadeo! ¡Ay, qué gilipollas! Pero ¿de dónde ha salido este tío antiguo? ¿¡Benigno!?

Ha dejado su moto aparcada a la puerta de casa. Una BMW. ¿Este niñato que no tiene ni edad de conducir tiene una BMW?

Me ofrece un casco. Me imagino como la hormiga atómica. Le digo que no con la cabeza. Paso de ponerme esa cosa.

–Póntelo, que esta moto es muy rápida.

–No me apetece ir en moto.

–Este pueblo es una mierda. Si te quieres quedar, tú misma, pero yo aquí no paso la tarde.

Me sonríe después de la bordería y me sigue extendiendo el casco. Lo cojo y me lo pongo. No parece tan gilipollas como hace unos minutos. Se monta él y me monto detrás. Le oigo decirme que me agarre fuerte a él. Lo hago. Me gusta ir pegada contra su espalda, inclinarme con él en cada curva, sentir el cosquilleo de la velocidad.

***

Salgo con Beni casi todas las tardes. Me viene a buscar y nos reunimos con sus amigos en diferentes sitios de la zona, siempre cerca del mar. Pasamos un par de horas juntos. Ellos beben cerveza y fuman porros, pero Beni nunca me ofrece. No me importa. No me apetece nada, ni beber ni fumar. Beni me compra tónicas frías, que es lo único que pido. Para las diez de la noche me deja en casa porque se va a trabajar. Le he preguntado en qué consiste su trabajo y me dice que ayuda en el negocio, el de nuestros padres. No ha especificado de qué negocio se trata ni qué hace concretamente. No me he atrevido a preguntar más. Hoy no ha venido. Le he preguntado a Pazos y me ha dicho que es un día de mucho trabajo. Será que mañana empiezan las fiestas del Carmen.

* * *

Estoy en mi cuarto leyendo. Creo que me voy a quedar dormida. Estoy como una boa, de todo lo que he comido. María me ha hecho un arroz con almejas riquísimo. Es simpática, María. A veces no la entiendo la mitad de lo que me dice, pero siento su cariño. La he pedido que coma conmigo. No me apetecía estar sola. Se ha sentado un rato, pero no ha comido nada. No entiendo cómo está tan gorda; nunca la veo comer. Aita se ha ido temprano con Pazos, cuando yo salía a correr. Estaba de muy buen humor. Ha dicho «hala, gacela, te veo esta tarde». A veces me mira con ojos de cordero y otras con cara de interrogante, pero nunca llega a hacerme ninguna pregunta. Es una situación extraña a la que me voy acostumbrando. Qué rollo de libro. No consigo concentrarme.

Oigo el ruido del coche de Pazos. Me he debido quedar dormida leyendo al Marías este. Me asomo a la ventana. Es aita. Me apetece verle. Bajo a saludarle.

–¡Hola, aita!

–Hola, princesa. Huy, qué cara de haberte echado una buena siesta.

–Sí, me acabo de despertar. ¿Qué son todas estas bolsas?

–Pues es que hemos estado en La Coruña comiendo en casa de un socio y fíjate qué casualidad, que tiene una hija de tu edad y así, chiquitita y fina como tú. Y como siempre andas a falta de ropa, le he dado un dinerito y le he encargado que te compre unos cuantos vestidos. ¡Y no veas cómo le ha cundido a la chavala! Mira todo lo que te traigo.

–Aita, a mí no me hace falta ropa.

–Pero si siempre vas con lo mismo.

–No es lo mismo... y a mí me gusta.

No me responde. Me mira muy serio.

–Perdona, aita. A ver, a ver qué me has traído.

Se sienta en el sofá y yo empiezo a sacar ropa de la bolsa. Son todos vestidos pijísimos: con florecitas, o dibujos cursis de labios, perros, o muñecas o yo qué sé qué, de colores vomitivos. ¡Hostia, no, hay uno rosa! Bueno, este otro negro igual me queda bien. Y pantalones pitillo estampados. Qué horterada, por dios. ¿Qué voy a hacer con todo esto?

–¿Qué, te gusta?

–El negro es muy bonito.

–¿Y el resto?

–Bueno, no es mucho mi estilo...

–¿Estilo? ¿A ir como un chicazo lo llamas estilo?

–Estoy cómoda así, aita.

Agacha la cabeza. Con el dedo índice de la mano derecha rasca la punta de su zapato izquierdo, en la que no hay nada que rascar. No parece enfadado. Se queda un rato así, rascando el zapato.

Se levanta bruscamente. Mira toda la ropa que he ido colocando encima de la gran mesa de mármol.

–No sé para qué me molesto en intentar complacerte, me dice. Ha sonado triste, creo.

Se da la media vuelta y pasa por delante de mí; no me mira, se mete en su despacho y cierra la puerta con suavidad. No me había dado cuenta de que Pazos ha estado todo el rato en la entrada del salón. Me mira muy serio y hace un gesto de negación con la cabeza. Se acerca a mí.

–¿No te da vergüenza? Tu padre ha estado medio día de compras para traerte todo esto. ¡Y yo con él! Nos hemos recorrido media Coruña.

–Pero ¿la hija de...?

–No te enteras de nada, rapaciña.

Me quedo boquiabierta. ¿Aita se ha pasado horas en La Coruña comprándome ropa? Me podía haber llevado con él. Podría haber sido hasta divertido. Y esa historia delirante de la hija del socio. ¿Por qué no me dijo que la había comprado él? Recojo la ropa y la subo a mi habitación. Me horroriza. La voy poniendo en las perchas y miro las etiquetas que nadie se ha molestado en quitar. Los precios son una obscenidad. Con cada vestido seguro que Aitor se podría pagar un mes de alquiler en Madrid.

* * *

Aita me lleva prometiendo una excursión desde que llegué. Hoy por fin vamos a la Costa de la Muerte. Primero paramos en el santuario de Nuestra Señora de la Barca. Hemos salido de casa cuando apenas estaba amaneciendo y llegamos al santuario muy temprano, todavía no hay nadie. El paisaje es sobrecogedor: el santuario erigido sobre la piedra, con la mar interminable de fondo. Hoy está mansa, muy mansa para esta zona, dice aita. Como es temprano el santuario está cerrado, pero no nos importa. Merece la pena estar aquí solos, en silencio. Nos sentamos en una de las grandes piedras, mirando al mar. Estamos así muchísimo rato, sin hablarnos. Aita mete la cabeza entre las manos durante un tiempo que me parece demasiado largo.

–¿Estás bien, aita?

–Sí, hija, mejor que bien.

Me mira y me sonríe, pero su mirada es triste. Pasamos un rato más sentados en la piedra, hasta que aita intenta levantarse. Le cuesta.

–Joder, me he quedado entumecido. Los años, hija...

–Bueno, y la barriguita, que también pesa.

Aita se ríe.

–¡Voy a tener que salir contigo a correr!

No me le imagino. También me río. Seguimos ruta hasta Camariñas, donde aita me quiere llevar a comer a un restaurante que conoce. Me da la sensación de que se ha recorrido toda la costa gallega buscando los mejores sitios donde comer marisco. No me extraña que esté como un tonel.

Paseamos por el pueblo un rato. Entramos en un par de tiendas de encaje de bolillos.

–¿Quieres llevarle algo a tu madre y a tu abuela?

–¿De tu parte, aita?

–Venga, de mi parte.

A la abuela le compramos una mantelería de té. A mi madre, unos pañuelitos. Es como si fuéramos una familia normal, una hija y un padre que se han ido de excursión y compran suvenires para llevar de vuelta a casa. Un marido que quiere quedar bien con su mujer y su suegra, una hija cómplice que le dice qué les va a gustar más a las dos. Por un ratito me lo creo, me hace feliz. Y aita parece que también lo está.

Comemos en un restaurante con vistas al puerto. Aita está parlanchín, me habla de cuando era niño y su madre traía a casa lo que le sobraba de vender en la lonja, que estaba harto de comer sardinas y anchoas y que todavía son pescados que no le gustan demasiado.

–En aquellos años eran pescados de pobre, hija, como los jibiones, que tu abuela los sabía poner de mil maneras.

–¿Te acuerdas de tu ama?, le pregunto.

–Cada vez más.

–¿Y de tu aita?

–De ése menos. No fue un buen padre.

Nos quedamos callados. Los dos parece que hemos pensado lo mismo.

–Ya, hija, yo tampoco tengo mucho de lo que estar orgulloso.

Yo no sé qué decirle. No me sale consolarle, tampoco quiero meter el dedo en la llaga. Lo estamos pasando hoy tan bien. Seguimos comiendo un rato en silencio, hasta que él me empieza a preguntar por mis estudios, por qué me gustaría hacer de mayor. Le digo que lo único que me gusta de verdad es leer.

–¿Y escribir? De niña escribías cuentos.

–Bah, escribo chorradas, para mí. Sin más.

–Podrías ser periodista o algo así. Con lo que te gusta preguntar... Y tienes ese puntito impertinente.

Me lo tomo como una broma. Comemos muchísimo y aita bebe un poco más de la cuenta como para conducir. Le convenzo para que se eche una siesta en el coche mientras me doy otro paseo por el pueblo, me siento un rato en el puerto. Después de más de una hora le despierto. Parece que ya no está de tan buen humor. Propone que volvamos a casa antes de que anochezca. Faltan todavía muchísimas horas, pero creo que es mejor así. Tengo miedo que este día tan bonito se estropee. El viaje de vuelta lo hacemos en silencio, salvo algún comentario sobre el paisaje, otros conductores, la temperatura, y esas cosas que no incitan a la discordia.

***

Vuelvo de la playa a mediodía. No oigo a nadie en casa. Me doy una ducha y bajo a la cocina. No está María. Qué raro. Miro qué hay en la nevera. Empanada de mejillones. Me corto un buen pedazo y me siento a la mesa a comer. Oigo la puerta. Son aita y Pazos.

–Hola, aita, estoy aquí, le grito desde la cocina.

Oigo sus pasos acercarse. Entra en la cocina. Tiene cara de estar de mala gaita.

–Esta tarde ponte guapa. Te voy a llevar a una fiesta.

–Jolín, si me lo dices con ese tono y esa cara, voy a pensar que me llevas a un funeral.

No le hace gracia la broma. Me sigue mirando serio.

–Vale, vale... ¿a qué hora nos vamos?

–A las ocho saldremos de aquí.

Se da la vuelta y sale de la cocina. Qué pereza. ¿Con mi padre a una fiesta? Supongo que esperará que me ponga uno de esos vestidos horrorosos.

Me pongo el vestido negro. Es ajustado y corto, con los hombros caídos y media manga. Me queda muy bien. Bajo al salón. Aita está sentado en el sofá. Me pongo delante de él y hago una pose tonta de modelo.

–¿Qué, te gusta?

Aita me mira de arriba abajo sin expresión. Se detiene en las Martens.

–¿Tienes que ponerte esas botas de mierda?

–Quedan bien, aita, se lleva así.

–Sube a ponerte zapatos.

–No tengo zapatos, te lo he dicho mil veces. No me gustan.

Se levanta bruscamente; yo retrocedo un par de pasos. Me mira y se detiene.

–Está bien, hija, estás muy guapa.

Me da un par de palmaditas en la cara que son casi cachetes. Tengo un nudo en el estómago.

–¡Pazos, estamos listos!

Pazos sale de la cocina masticando algo. Me mira de arriba abajo y hace una mueca de desagrado al ver las Martens.

La fiesta ha sido un aburrimiento total. La casa era como ésta, pero más grande todavía; no sé cuántas criadas tenía esa peña. Qué gente más insoportable. Unos horteras. Todos de la edad de aita y sus mujeres, viejas pijas que, por supuesto, me han mirado fatal. Yo creo que aita se ha arrepentido de llevarme, parecía que le daba vergüenza tenerme ahí. Apenas me ha presentado a nadie y no me ha hecho ni puto caso. Le oía decir «sí, mi hija...» pero nada más. Si por lo menos hubiera estado Beni... Y ni siquiera me ha dado las buenas noches al irse a su cuarto. No sé qué coño espera de mí.

***

Llamo a la puerta de su despacho. Su voz desde dentro dice ¿sí? Asomo la cabeza.

–Hola, aita, ¿puedo pasar?

–¿Para qué?

–Nada, estar...

–Tengo mucho trabajo, Amaia.

–Vale, déjalo. Ya te veré por ahí.

–Esta noche cenamos juntos en el jardín. Le digo a María que nos deje preparado algo rico, ¿vale?

–¿Está ya de vuelta?

–Sí, desde hoy a mediodía.

–¿Y su madre?

–Ah, por fin se murió. La enterraron ayer.

–Joder, aita, ¿cómo no me has dicho nada?

–¿Pa' qué?

–Pues para ir al funeral o algo. No sé...

Aita se encoge de hombros y me mira con cara de impaciencia.

–Vale, vale, te veo a la noche.

María parece que ha envejecido diez años en una semana. Pobre. Estaba friendo la carne y le caían los lagrimones a la sartén. Le he dicho que iba a salarlos o a envenenarnos con su tristeza como en *Como agua para chocolate*. Le ha hecho gracia, a pesar de no tener ni idea de lo que estaba hablando. Me ha dado un abrazo que casi me deja sin aire.

Hace una tarde muy agradable y bajo al jardín a leer *Cien años de soledad*. La del pesado de Marías no la he acabado.

Creo que es la primera novela que dejo sin terminar. Me siento debajo de la parra, que está llena de uvas. Me pregunto si serán comestibles. Todavía están verdes. O es que igual son verdes. Tengo sed. Voy a la cocina a buscar un vaso de limonada. María la pone riquísima. Dice que la hace con los limones de la huerta, pero todos los días la hace fresca y creo que el limonero no da para tanto. Paso por delante del despacho de aita. Le oigo gritar a alguien. Me paro un poco enfrente de la puerta. No entiendo lo que se dicen. Entro en la cocina y cojo mi limonada. Salgo. Al mismo tiempo, se abre la puerta del despacho. Sale un tipo calvo, con traje oscuro y camisa blanca. ¿Es Carlos? Me ve. Me mira. Es Carlos. Se acerca y me da un repaso.

–¿Amaia?

Aita sale de su despacho a una velocidad inverosímil, con lo gordo que está. Se acerca mucho a Carlos. Apenas se le oye.

–Sal de esta casa...

–Pero ¡si es Amayita! ¡Cómo ha crecido!

Se intenta acercar más a mí, pero aita le corta el paso. No sé dónde meterme. Empiezo a recular hacia la cocina.

–Carlos, vete ahora mismo, le dice aita.

Carlos me sigue mirando por encima de la cabeza de aita y sonríe.

–Vigílala bien, Amadeo, no te vaya a salir a la madre.

De repente, aita, que está todavía pegado a él, da un pequeño salto y ¡pah!, le planta un cabezazo en la nariz. Aita se agarra la cabeza. Parece que se ha hecho daño. Carlos empieza a sangrar, se saca un pañuelo de la solapa y lo usa para contener la sangre, pero aun así le cae en la camisa blanca. Mira el pañuelo y, justo cuando se va a abalanzar sobre aita, aparece Pazos no sé de dónde y le da un puñetazo en la cabeza que lo tumba. Lo coge por detrás de los brazos cuando todavía está en el suelo atontado y le arrastra fuera de casa.

Aita me mira muy serio. Tiene una marca en la frente. Se acerca a mí. Yo reculo un poco más. Me coge la mano con la que sujeto el vaso de limonada. Al agarrarme me doy cuenta de que estoy temblando. Tanto, que la mitad del líquido está en el suelo.

–Tranquila, bonita, ya ha pasado todo.

Aita me acaricia la cabeza. He pasado miedo. No sé si por él o por mí.

–¿Qué va a hacer Pazos con él?, le pregunto.

Aita suspira. Se alisa los cuatro pelos que le quedan. Saca un pañuelo y se seca el sudor de la frente y la calva.

–Venga, vamos al jardín y te tomas tu limonada. ¿O prefieres una cerveza?

–No me gusta.

–¿Y el vino?

–Creo que tampoco.

–Vete saliendo y ahora voy yo.

Me vuelvo a sentar debajo de la parra. Pasan los minutos y aita no sale. Sigo esperando. Leo para tranquilizarme. Sigue pasando el tiempo, más de una hora. Entro en casa. Veo la puerta de su oficina cerrada. Llamo.

–¿Sí?, responde aita desde dentro.

Abro un poco la puerta. Asomo la cabeza. Está con Pazos. ¿Dónde habrá dejado a Carlos?

–¿No sales al jardín, aita?

–Perdona, hija, déjame despachar con Pazos. Seguimos con el plan y cenamos juntos luego. Los dos solos.

Cierro la puerta y me voy al jardín. Leo hasta que se hace de noche. Oigo un coche marcharse. Será Pazos, que por fin se va. Entro en casa. Me asomo a la oficina. No hay nadie. Se han ido sin avisarme. Voy a la cocina. Levanto el trapo que cubre una bandeja para ver qué nos ha dejado María. Un bogavante gigantesco. Ya está cortado y preparado. Saco una de las botellas frías de vino blanco de la nevera. La abro. Pego un trago a morro. Está rico. Cojo el bogavante y la botella y salgo al jardín. Como hasta que no puedo más, dejo las sobras en la mesa y la botella a medias. Me voy a dormir.

* * *

Aita está cariñoso estos días, como se puede estar cariñoso con un perro al que tienes cierto respeto, o miedo de que en cualquier momento se retuerza y te pegue un tarisco. Pasa a mi lado y me acaricia la cabeza o apoya una mano en mi hombro mientras me pregunta qué leo, le dice a María que me cocine mis platos favoritos, todas las noches me encuentro un billete de mil pesetas en la cómoda de la mesilla, encarga a Beni que me lleve a sitios bonitos... Pero no hemos vuelto a hacer ninguna excursión nosotros solos. Ese día desaproveché la ocasión de hacerle las preguntas que necesito saber, tal vez por miedo a herirle. O por miedo simplemente. Desde entonces, mis intentos de hablar con él se siguen frustrando; sólo nos sentamos juntos en las comidas o las cenas y siempre acompañados. En los raros momentos que hemos vuelto a estar los dos, en cuanto charlamos más de cinco minutos ya empieza el «tengo mucho trabajo», «ya me contarás eso en otro momento» y, la peor, «no hagas preguntas impertinentes». Así que redacto una nota ultimátum:

> Quiero que cumplas la promesa que me hiciste en la carta: que me cuentes a qué te dedicaste todos los años que estuviste trabajando con Carlos, que me digas si los rumores del pueblo son ciertos, que me expliques por qué nos has abandonado durante tanto tiempo, por qué me has hecho venir aquí si no me haces ni puto caso o parece que te molesto, si vas a volver algún día a casa y cuidar de ama, y si no vuelves, si vas a cumplir tus responsabilidades como marido y padre y darnos el dinero que necesitamos para sobrevivir. De tu trabajo aquí no hace falta que me digas nada. Creo que sé suficiente. Pero cuando estés dispuesto a hablar conmigo de todo lo demás, me avisas. Hasta entonces, estaré en mi cuarto.

Le dejo la nota en la mesa de su despacho. Supongo que volverá a mediodía a comer y que la leerá. Me encierro en el cuarto. Estoy muy nerviosa. No sé cómo va a reaccionar, pero ya estoy harta de pretender que puedo estar aquí como si el pasado no contara, como si todo lo que nos ha hecho se pudiera borrar porque un día me lleva de excursión, me compra vestidos y me da dinero, me da bien de comer y de vez en cuando me hace una carantoña. Intento concentrarme en la lectura, dejar que pasen las horas.

Oigo el coche. Ya están aquí. Entran en casa. Lo primero, irá a su despacho. Pasa un minuto, dos, cinco. No oigo nada. Sí, le oigo. Está subiendo las escaleras. Se para delante de mi puerta.

–¿Amaia?

Me levanto de la cama y voy a abrir. Me tiemblan las piernas y la mano al tomar el puño de la puerta. La abro. Aita está al otro lado sonriéndome. Le sonrío yo también.

El sopapo me hace chocar contra el quicio de la puerta y caer al suelo. Miro hacia arriba y veo a aita que se está dando la vuelta y se aleja por el pasillo hacia las escaleras. Cuando ya no le veo me levanto como puedo y voy al baño. Me lavo la cara. Tengo el lado izquierdo rojo y siento el pulso muy fuerte en la sien. Me miro y veo una pequeña marca. Dejo correr el agua para que salga fría y mojo una toalla. Me la pongo en la cara y me encierro en mi cuarto con el pestillo echado.

Paso un buen rato llorando. Estoy medio adormecida. Oigo «toc, toc, toc» en la puerta. No quiero abrir. Insisten «toc, toc, toc».

–Amaia, soy yo, ábreme.

–Vete, Beni, no me apetece ver a nadie.

–Por favor, abre. No me voy a mover de aquí hasta que me abras.

Me levanto. Debo tener una pinta horrible, ojos de huevo duro, como se le quedan siempre a ama después de llorar. Abro la puerta.

–¿Qué te ha pasado?

–Nada, mi padre, que es gilipollas.

Me vuelvo a tumbar en la cama. Beni se sienta y me acaricia el pelo. Es la primera caricia que me hace.

–Mañana me vuelvo a casa, Beni, aquí no me puedo quedar.

–Pero ¿qué ha pasado?

–Nada. Fue un error venir. ¿Me puedes llevar a Santiago?

–¿Y tu padre?

–No se lo puedes decir a tu padre ni al mío. Necesito irme.

–No le puedes hacer eso a tu padre. Le dolería...

–¿Y la hostia que me ha dado no me duele?

–No sé qué ha pasado, pero tu padre es un buen hombre. Tiene ese pronto, vale, pero te quiere. Antes de que llegaras no hacía más que hablar de ti, de lo bonito que iba a ser tenerte con nosotros. Joder, si es un sentimental.

–¿Me estás viendo la cara, Beni? Yo mañana me voy, tanto si me llevas como si no.

Se queda unos segundos callado, muy pensativo. Y me vuelve a acariciar la cabeza.

–¿A qué hora quieres que venga?

–No sé, temprano, antes de que él se levante... ¿A las siete?

–Bien.

Nos quedamos en silencio unos segundos.

–¿Quieres que me quede un poco contigo?

–No, mejor vete.

–Te voy a echar mucho de menos, Amaia.

–Yo a ti también, Beni.

Me besa la frente y sale de la habitación. Me hubiera gustado que me besara los labios. Desde lo que me pasó con los amigos de Iker cada chico que se me acerca lo espanto con un bufido. Pero Beni es diferente. Qué cansancio. Qué mierda. Qué ganas de desaparecer.

Me despierto antes de las siete, con la luz del día. En un rato llegará Beni. Me levanto y lleno la bolsa con la ropa y los libros que me he comprado con su dinero, mis cuadernos. Su puto dinero. La ropa hortera que me regaló se queda en el armario. Me doy una ducha rápida, me visto y salgo muy despacio de la habitación. Atravieso el salón sigilosamente, abro la puerta de la calle. Prefiero esperar a Beni fuera porque la moto hace un escándalo tremendo y, si aita se despierta, no quiero que le dé tiempo a pillarme. Son las siete. No oigo un solo ruido en la carretera. Siete y cinco. Siete y diez. Siete y veinte. ¿Se habrá dormido este gilipollas? Siete y media. Mierda. ¿Dónde está este imbécil? Se acerca un coche. Es el coche de Pazos. ¿Le habrá cogido el coche a su padre? Joder. Está Pazos dentro. ¿Qué hace tan temprano aquí? Aparca. Se baja. Viene hacia mí.

–Buenos días, Amaia.

–Buenos días.

–Me ha contado Beni que te quieres ir.

Puto cobarde, Beni.

–¿Y tú vienes a chivárselo a mi padre?

–No, si te das la vuelta y entras en casa, esto quedará entre nos.

–Me quiero ir.

–Tu padre te adora.

–Pues no me lo demuestra.

–Sé que ha hecho muchas cosas mal...

–No sabrás ni la mitad.

–... pero eres lo único que le queda. No te vayas.

No le contesto.

–Se le fue un poco la mano. Tenía un mal día y esa nota...

–¿Y tú por qué coño te metes donde no te llaman?

Pazos sonríe. Niega con la cabeza. Sin decírmelo, otra vez me lo está diciendo: no me entero de nada.

–Anda, entra en la casa antes de que se levante o teu pai.

Sé que va a ser imposible marcharme con Pazos aquí. Me rindo. Entro. No se ha levantado o meu pai. Subo a la habitación. Empiezo a sacar las cosas de la bolsa. A Beni le van a dar mucho por culo. Como me vuelva a venir a buscar, me va a oír. Cobarde. Traidor. Me pongo la ropa de correr y salgo. Pazos está dentro del coche. Echo a correr. ¿Me seguirá?

***

Desde el día de mi intento de huida no he visto a Beni. No ha vuelto a venir a buscarme. Pazos no ha dicho nada del tema. Yo no pregunto. Aita me evita. No sé quién tiene más miedo de encontrarse con el otro, si él o yo. Me siento sola, pero es una sensación agradable. Ni siquiera me apetece escribir cartas o llamar a ama. Me conformo con poder correr, nadar y leer.

Me quedan dos semanas aquí. ¿Me hablará aita algún día? ¿Me iré y se quedará todo igual que antes de venir? Bueno, igual, igual, no. Me llevo un montón de libros que he ido comprando en el pueblo y mucha pasta. Se siguen acumulando los billetes de mil pesetas, que no han dejado de aparecer desde el tortazo. Me está comprando, aunque no sé muy bien cómo funciona esto. O sea, entiendo que con ese dinero me compra, pero no sé qué se lleva. Ya no pasamos tiempo juntos, no me habla, no le hago ningún servicio, salvo estar aquí. Muy caro lo está pagando.

***

Tercer día que amanece lloviendo. Salgo a correr de todas formas y también voy a la playa a nadar. Al salir del agua tengo frío. Me voy a casa. Desde el camino veo la moto de Beni apoyada contra el muro. No me apetece verle, pero estoy helada y necesito darme una ducha caliente y cambiarme. Doy la vuelta a la casa y entro por el jardín. Subo por las escaleras de servicio al segundo piso y entro corriendo en mi habitación. Nadie me ha oído. Me ducho y mientras me visto oigo la moto de Beni encenderse. Después de unos segundos, escucho cómo se aleja. Bajo a la cocina a desayunar. Está María.

–Bo día, rapaciña. ¿Te hago unos huevos con chorizo? ¿Y unas patacas? Estás cada día más flaca.

–Hola, María. Sí, hazme unos huevos con patatas, pero sin chorizo.

Me siento a la mesa de madera de la cocina. María está de espaldas. Sus dimensiones son espectaculares. Creo que su espalda es tres veces el tamaño de la mía y uno de sus brazos como mis dos piernas.

–¿Y qué tiene de malo el chorizo?

–Que va directo al culo, María, y además me repite. Anda, hazme esos huevos que me muero de hambre.

María se pone a trajinar. Con lo gorda que está, se mueve en la cocina con una ligereza que me fascina.

–¿Quién está en casa?

–Estaba el chico de Pazos, pero ya se fue. Está tu padre solo. ¿Por qué no le dices si quiere unos huevos tamén? Seguro que no se ha desayunado.

No me apetece ir a ofrecerle nada. No me muevo.

–Anda, rapaza, no seas morriñenta y hazle un cariño a tu padre. Que luego se mueren y no sabes lo que se les echa de menos...

Me levanto por darle el gusto, y para que no me repita eso de que mi padre es un buen hombre. Como ella cree que me caí mientras corría, sigue pensando que es un padre amantísimo deseando complacer a su niña.

–Me va a decir que no, ya verás.

María suspira y su suspiro suena a reproche. Llamo a la puerta del despacho.

–Adelante, dice aita.

Abro la puerta y me asomo.

–Ah, hija, eres tú.

–Me dice María si quieres unos huevos.

Me mira como si le estuviera preguntando si se ha enterado de que hay vida en Marte.

–¿Huevos?

–Sí, aita, de esos que pone la gallina. En este caso la del vecino.

Se ríe.

–Pues sí, me muero de hambre. Vamos a la cocina.

Nos sentamos los dos a la mesa. No sé qué decirle. Él parece que tampoco. María canturrea mientras fríe las patatas. Huele a chorizo. Después de pocos minutos, tenemos cada uno un plato de huevos con patatas fritas y chorizo con un pedazo enorme de pan de maíz. María sale de la cocina sin despedirse.

–¿Cuánto tiempo te queda aquí?, me pregunta aita.

–Diez días como mucho. Quiero volver un poco antes de que empiecen las clases.

–Segundo ya, hija, qué mayor.

–Sí.

No sé qué más decirle. Él se queda pensativo unos segundos.

–Cuando me tuve que ir de casa todavía llevabas el uniforme de las monjas. Te quedaba muy simpático.

–Lo odiaba.

Cabecea. Vuelve a quedarse en silencio, mirando al plato.

–¿Has hablado con tu madre últimamente?

–Sí, la llamé hace unos días. Parece que está bastante bien. Tranquila.

Empiezo a romper los huevos con el pan. Nos quedamos otro rato callados.

–¿Cómo es que ya no andas con Beni?

Me encojo de hombros. Parece que Pazos cumplió su promesa y no le dijo nada de mi intento de huida.

–¿Te lo estás pasando bien?

Me meto un pedazo de pan bien grande en la boca y tardo en masticar y tragar, antes de responder.

–Me gusta esto.

Aita no ha tocado su plato todavía.

–¿Estás cómoda en esta casa?

Unto las patatas en la yema. Me llevo un montón a la boca. Mastico. Trago. Tomo un sorbo de agua.

–Sí...

Casi no me sale la voz. Ahora es él quien ataca el plato, aplastando los huevos con el pan como si le hubieran ofendido, cortando el chorizo con el tenedor convirtiéndolo en papilla, empalando las patatas a montones. Yo dejo de comer. Me empieza a dar asco verle comer a él, con la cabeza tan cerca del plato, con esa ansia, haciendo ruido al masticar y al sorber el café. Me está irritando.

–¿Hay algo que quieres que le diga a ama?

Aita se levanta y se sirve otra taza del café que ha dejado María en el fogón. Se queda de pie, bebiéndolo a sorbitos ruidosamente.

–Lo que tú quieras.

–¿Y de tus negocios?

Aita se sienta a la mesa de nuevo. Me mira con sorna.

–¿Qué sabes tú de mis negocios?

–Me dijiste que trabajas de abogado para un empresario, pero no es verdad, ¿no?

Se ríe. Una carcajada seca. Come un poco más de su plato.

–Claro que sí, bonita. Llevo los asuntos legales de un empresario que tiene muchos negocios en Galicia y en América.

–¿Y qué tiene que ver este trabajo con los anteriores?

–No quiero hablar del pasado, Amaia. Y no me menciones la puta carta otra vez.

Me lo dice serio, pero la frase ha sonado más a petición que a mandato. Miro mi plato. Algunas claras están crudas y apesta a chorizo. Mi asco aumenta. Aparto el plato.

–Entiendo que quieras saber cosas, hija, pero no te van a conducir a nada. Ahora estoy aquí, ¿verdad? Has pasado conmigo dos meses y, salvo ese día que discutimos, nos hemos llevado bien, ¿o no?

–No discutimos. Me pegaste. Y apenas te he visto. Llevarse bien es otra cosa, aita.

Me mira y noto su tristeza. Me da pena y al mismo tiempo siento muchas, muchas ganas de hacerle daño.

–Hija, yo no sé... yo sé que... cómo arreglar...

Se detiene, busca las palabras. No le ayudo.

–Mira, te prometo que a partir de ahora tu madre recibirá una asignación mensual para sus gastos, los tuyos y los de Aitor.

–¿Y Kepa?

–Mientras siga metido en lo que está metido no va a ver un duro mío. Y eso ya lo sabe tu madre.

–¿Y no vas a volver a casa?

–No puedo volver. Además, con tu madre las cosas no estaban bien. Y no van a estarlo. Ella... bueno, no te voy a hablar mal de tu madre.

–Está muy mal.

–Está mal porque quiere.

–Es alcohólica.

–Porque quiere.

Aita juega con la comida que le queda en el plato; yo, con unas bolitas de pan. No nos miramos.

–Lo que te pido es que empecemos de cero, hija, tú y yo.

No le respondo. No puedo. No quiero empezar de cero. No se lo merece.

–Quiero darte todo lo que no pude dar a tus hermanos. ¿Me dejarás que lo intente?

Asiento con la cabeza con poca convicción. Pasamos un rato callados. Se levanta él primero, me acaricia el pelo.

–Tengo que ir a trabajar, bonita. ¿Te veo a la noche?

Asiento de nuevo. Sale de la cocina. Arrastra un poco los pies. Me quedo mirando la clara del huevo, que ahora está rosada. Me da una arcada.

***

Estamos en el coche, camino a la estación de Santiago. Aita conduce tranquilo. De vez en cuando hace algún comentario sobre el paisaje, la historia de los lugares que vamos pasando.

–El próximo año te prometo volver a la Costa de la Muerte. Y también visitar algunos de estos pueblos del interior. Hay sitios preciosos.

Apenas contesto con un «ajá».

–Porque vendrás el año que viene, ¿verdad, hija?

No sé si volveré y no sé si quiero decírselo.

–¿No me contestas?

–Sí, aita. Volveré.

–Cuánto me alegro, hija.

Me da un par de cachetes suaves en la pierna. Se me licua el estómago.

–Y si necesitas algo durante el curso, ya sabes, me llamas.

–Gracias, aita.

Me da un largo abrazo de despedida al pie del autobús. Me dice que me cuide y que vuelva pronto. Promete enviar dinero regularmente. Creo que se le humedecen los ojos. A mí no, pero sí siento pena. No sé de qué ni por qué.

***

Llego a casa del instituto. Encima de mi almohada hay una carta de Aitor. La primera desde que me fui a Galicia, la primera desde que volví. Unas pocas líneas. Anuncia que sólo vendrá dos días por Navidad porque tiene que trabajar. ¿Me está restregando que él no acepta el dinero de aita? No me cuenta nada de su verano y añade apenas cuatro generalidades sobre el nuevo curso y sus amigos. Tampoco dice nada sobre ama, a pesar de que le conté que desde que acabó el verano no ha probado una gota de alcohol. No entiendo qué le molesta tanto.

***

Hace una mañana de otoño muy bonita. Es sábado. Cojo el tren y me acerco hasta Bilbao. Ama se ha ofrecido a acompañarme, pero a mí me apetecía ir sola. Luego se pone a mirar escaparates y a entrar en tiendas y no me queda suficiente tiempo para recorrer tranquila la sección de novedades de mi librería favorita. Llego a Abando y bajo a las siete calles. Antes de ir a la librería entro en el Boulevard para tomar un café con leche y un pincho de tortilla. Me imagino tertulias decimonónicas o de intelectuales de los años treinta, de antes de la guerra, claro. El presente no da para demasiadas ensoñaciones: madres con niños gritones, camareros ruidosos que tiran los cacharros a diestro y siniestro sólo para molestar, hombres hablando a gritos del partido de anoche. Esta gente no pega nada en un sitio tan bonito. Me marcho enseguida. Voy paseando hasta la librería. Según me voy acercando al escaparate veo que está lleno de pintadas con tinta roja y amarilla: «fachas», «españoles» y la diana de siempre. A cada lado de la puerta, dos hombres corpulentos como armarios, vestidos con chaqueta, están plantados en posición marcial. Me detengo a pocos metros. Veo que varias personas pasan por delante sin mirar al escaparate o a los escoltas. Una mujer, supongo que con las mismas intenciones que yo, se ha parado delante de la puerta, se ha dado la media vuelta y se ha ido. Otra se acerca, se lleva la mano a la boca, y entra saludando a los hombres. Yo sigo parada. Uno de los escoltas me mira, me sonríe un poco y me hace un gesto con la cabeza, como para que entre. Me doy la vuelta y, yo también, me voy.

***

Llego a casa después de dar un garbeo con la cuadrilla. Oigo la voz de ama. Está hablando por teléfono. Se ríe. Hacía tiempo que no la escuchaba reírse así. La veo desde el pasillo. No se ha dado cuenta de que he entrado en casa. Tiene una carcajada muy bonita, muy sonora pero nada estridente, limpia; echa la cabeza hacia atrás y se le alarga el cuello que ya de por sí es largo y fino. A diferencia que yo, nunca se tapa la boca al reírse. Siempre me han dado envidia sus dientes, tan alineados y perfectos. Yo por desgracia he heredado los de aita, grandes y algo torcidos. Me acerco poco a poco. No quiero interrumpirla. Justo cuando estoy llegando se despide.

–Agur, agur, un beso.

–...

–Sí, sí, un beso cariñoso.

–Hola, ama.

–Ay, hija, no te he sentido llegar.

Tiene la cara alegre, relajada. Sigue con una sonrisa en los labios.

–Cómo te reías, ama. ¿Con quién hablabas?

–Con tu padre.

Mi cara de sorpresa hace que se le amplíe la sonrisa.

–Sí, hija, con tu padre. A veces es tan gracioso...

–No... no conozco esa faceta suya.

A ama se le va apagando la sonrisa. Se sienta en el sofá y me hace un gesto para que me siente con ella. Lo hago.

–Es que al ser la pequeñita, te tocó lo peor. Pero no siempre fue así.

Ama está parlanchina. Desde que dejó de beber se comunica mucho más conmigo. Me cuenta que cuando conoció a mi padre era un hombre muy alegre. Algo tarambana –siempre le gustó mucho la fiesta, me dice–, pero cariñoso y con una personalidad arrolladora. Todas las chicas andaban locas detrás de él –no me lo imagino, tan bajito, calvo y gordo, le digo–. Mi madre defiende que entonces iba siempre como un pincel; más alto no era, claro, pero era delgadito y tenía una mata de pelo rizado muy graciosa. Además abogado, un chico ambicioso –todas andaban locas por él, repite–. Pero conoció a mi madre y se enamoró de su melena de leona y sus piernas largas y delgadas. Le encantaba organizar comidas con sus tres amigos de la carrera y sus mujeres, recorrer las sidrerías, los mejores restaurantes de la zona. Eso sí que me lo creo. Me cuenta que en una de esas excursiones, antes de llegar a una sidrería de Tolosa, se encontraron con unos músicos que iban de romería. Mi padre empezó a bailar con ellos, a empujar a la cuadrilla a seguirles, bailando por las calles. Se lo estaban pasando tan bien que al final mi padre invitó a todos los músicos a comer y siguieron la fiesta hasta las tantas de la madrugada en el restaurante. Como estaban completamente borrachos no podían coger los coches, así que los músicos se llevaron a cada pareja a dormir a una casa.

–Así era tu padre.

–No me lo imagino, la verdad.

–Entonces teníamos buenos amigos.

–¿No guardas relación con ninguno, por lo menos con las mujeres?

Mi madre niega triste con la cabeza. No le queda nada de la alegría que tenía al empezar a contarme esta historia. Me doy cuenta de que la única compañía que tiene mi madre es la de mi abuela. O la mía. Nunca había pensado que ella también pueda necesitar una amiga.

–Igual deberías apuntarte a algún curso en el ayuntamiento, ama, de esos que dan para mayores, o a gimnasia, salir de casa un poco más.

–No sé, hija, a saber con quién me voy a encontrar ahí.

1990

Entro en clase después de la reunión de delegados. Tengo que anunciar que Jarrai ha convocado una huelga para el viernes. La clase tiene que votar si la secundamos o no. Y después tengo que llevar el voto a la reunión de las tres. Para qué me meteré en estos marrones. La clase está alborotada, todos hablando a gritos.

–A ver, escuchad por favor, sentaos.

Nadie me hace caso. Qué jaleo. Me meto los dedos a la boca y silbo. Ahora sí, se callan.

–A ver, que tenemos que votar y la Pellejo va a llegar en cualquier momento.

–¡Pues que espere!, dice Asier desde el fondo.

–¿Qué pasa?, pregunta Cristina.

–Lo de siempre. Jarrai convoca huelga para el viernes.

–¿Y a santo de qué?, vuelve a preguntar.

–Pues a cuenta de esos dos que han detenido ayer, le respondo.

–Joder, ¿y por eso vamos a perder clase otra vez?, dice Alberto.

Se ponen todos a hablar a la vez.

–¿Tu hermano qué dice?, grita Asier.

–¿Y qué importa lo que diga mi hermano? Ya sabéis para qué es la huelga. Sólo tenemos que votar.

–Vale, levantad las manos los que queráis huelga, dice Asier levantando la suya.

–De eso nada, Asier, voto secreto, le dice Alberto.

–¿De qué tienes miedo?

–De ti no, desde luego.

–Aquí vamos a seguir haciendo voto secreto mientras yo sea delegada, les digo.

Hay un rugido de aprobación. Se abre la puerta. Es la Pellejo.

–Hellooooo claaaaaasss, dice, y hace amago de entrar.

–Perdone, profa, pero tenemos que votar, le digo.

–Ay, ¿otra vez? ¡Qué pesadez!

–Sí, pero acabamos enseguida.

La Pellejo cierra la puerta suavemente.

–Vamos, venga, todo el mundo un papel: quien quiera hacer huelga que vote sí, y quien no quiera que vote no.

La mayoría tapa su voto y lo dobla en mil partes, excepto Asier y sus amigos que escriben un SÍ que ocupa todo un folio y lo entregan sin doblar. Los cuento.

–Han salido doce que no y nueve que sí. Oficialmente esta clase no hace huelga. Los que no quieran venir a clase, es su problema.

No espero a que nadie diga nada. Abro la puerta e invito a la Pellejo a entrar. Me paso la hora de clase sin poder concentrarme, temiendo el momento de llevar el voto a la asamblea. Para qué aceptaría yo que me eligieran delegada. Supongo que Asier y compañía se pensaron que era como Kepa y el resto de la clase no encontraría otra víctima. Porque esto es un rollo. Lo único que hacemos es votar las convocatorias de Jarrai o de Ikasle Abertzaleak, que al final siempre salen, votemos lo que votemos. Por lo menos ahora paso tiempo con Alberto y Cris, mucho mejor que el año pasado, que no me hacían ni caso.

Son pasadas las tres. Entro en el aula de la reunión. La Pellejo ha querido recuperar los minutos perdidos y soy la última en entrar. Están Kepa y Goiko y todos los demás delegados. Kepa me mira y amaga una sonrisa. Goiko está sentado encima de la mesa, en la tarima. Los demás todos abajo, en silencio. Me quedo de pie en la entrada.

–A ver, sabemos todos los votos menos el de tu clase, me dice Goiko.

–Ha salido que no. Doce a nueve.

–Ya, como siempre. Vosotros y tercero B sois los únicos, así que les comunicaremos a los profesores que la mayoría del alumnado del instituto secunda la huelga.

–Y yo les pediré que nos dejen venir a clase, contesto.

Goiko se levanta de la silla con tanta fuerza que casi la tira. Viene hacia mí.

–¿Tú eres subnormal o qué? ¿No nos has oído? El insti se cierra.

–Eso lo decidirá el director, le digo yo.

No me atrevo a mirarle. Me zumban los oídos y me tiemblan las piernas. Kepa se levanta también. Se acerca a Goiko y le coge del brazo.

–Venga, Goiko, déjala. Es la delegada, sólo está cumpliendo con su deber.

–Si aparecéis por aquí el viernes os va a ir muy mal, me dice Goiko.

Me doy la vuelta y antes de salir del aula miro a Kepa. Me hace un gesto para que le espere. Me quedo en el pasillo. Sale en pocos segundos.

–Aúpa, Amaia. ¿Ya vas a casa?

–Sí, ¿vienes?

–No, me quedo a comer con Goiko, que tenemos que preparar lo de la huelga.

–Mi clase quiere venir, Kepa.

–Pues os arriesgáis a que os den de hostias en el pikete. Quédate en casa y ya está, joder, que además es viernes. ¿Qué más te da?

–A mí todo este rollo me da igual, pero mis compañeros de clase tienen derecho a votar y que su voto se respete.

–Los profes la van a secundar.

–Serán los profes de vuestro palo.

–La mayoría.

–Joder, Kepa, ¿no te cansas de toda esta mierda? ¿Y qué vas a hacer el viernes si vengo, darme de hostias tú también?

Kepa se encoge de hombros. Se da la media vuelta para entrar de nuevo en el aula en la que le espera Goiko. Antes de abrir la puerta se gira.

–No vengas el viernes, txiki.

Llego a casa. Ama ha cocinado arroz con jibia. Comemos juntas.

–Qué rico te ha salido, ama.

–¿Sí, hija?, ¿te gusta?

–Mucho.

–Pues mañana ya verás, voy a hacer unas alubias de Tolosa con todos los sacramentos que te vas a chupar los dedos.

–Jo, ama, que me voy a poner como una foca.

–¡Qué tontería! Con todo lo que corres, hija, te puedes comer un buey al día.

Me levanto para coger un yogur de la nevera. Veo una botella de vino blanco empezada. Me da un vuelco el estómago.

–¿Qué es esto, ama?

–Nada, hija, lo he usado para cocinar el arroz. Fíjate si estaré bien que ni siquiera me han dado ganas de darle un sorbito.

Miro la botella y me doy cuenta de que tiene razón. Falta lo justo para una taza. De beber, se la hubiera bebido entera. Y no tendría el buen aspecto que tiene ahora mismo, tan arreglada y tan guapa. ¿Qué haría aita si la viera?

–¿Cuánto llevas ya?

–Hará ocho meses el 15 de marzo.

Sonreímos las dos. Nos quedamos calladas un rato, mientras acabo de comer el yogur.

–¿Sabes algo de Aitor, hija?

–No. Me debe carta desde mi cumpleaños.

–Qué pena...

–Yo lo intento, pero si él quiere estar enfadado, dos males tiene.

–Me ha devuelto otra vez la transferencia que le he hecho este mes.

–Nadie le está pidiendo que le llame ni le escriba ni le vea...

–Bueno, hija, cómo él dice, es independiente y mayor de edad.

–Ya, pero que no me culpe a mí por querer tener algunas facilidades, joder, que bastante mal lo hemos pasado.

Ama se levanta y me da un beso. Se vuelve a sentar.

–¿Qué tal en clase hoy?

–Bien.

–¿Cómo llevas las mates?

–Fatal. No entiendo nada. Menos mal que el año que viene me voy por letras puras.

–¿Por qué no contratamos a un tutor para que te prepare para junio? Nos lo podemos permitir.

–No, no hace falta. Voy a estudiar con Gema, que es una máquina. También en física y química.

–¿Y has visto hoy a Kepa?

–Sí, en la reunión de delegados...

–Supongo que estará comiendo en casa de Goiko...

–Igual el viernes no hay clase.

–¿Y eso?

–Huelga.

–Ya.

Ama se levanta y se pone a fregar los cacharros.

–¿No quieres saber por qué hay huelga?

–No, hija, no me interesa en absoluto.

* * *

Jueves. En la primera hora de clase el de matemáticas nos anuncia que mañana el instituto estará cerrado en protesta por la «represión fascista contra nuestra juventud».

* * *

Cojo el teléfono. Aita apenas me saluda y me pide que le pase a ama. No me atrevo a descolgar el de la cocina para escuchar la conversación. Iba a salir a correr, pero me quedo esperando por lo menos media hora a que ama salga del salón. Todavía está llorando.

–¿Qué, ama?

–Nada, hija.

–¿Qué te dice aita?

–Nada... Vete ya, anda, que se te va a hacer de noche.

–Ama...

–Déjalo estar, Amaia. Vete a correr.

Se encierra en el baño. La oigo llorar. Me da miedo irme y encontrármela bebiendo al regresar. Lleva sobria un montón de meses, pero cada vez que llama aita me temo lo peor. ¿Qué habrá pasado entre ellos? Parecía que estaban bien. Se pasaban horas hablando, ama se reía, me hablaba de él. Ya no me cuenta nada. Siempre que la llama, acaba llorando o con esa tristeza que le hace cerrarse como un molusco. Se queda anulada. Me da pavor porque la veo comportarse como antes, sólo le falta empezar a beber de nuevo. La pregunto qué les pasa y sólo niega con la cabeza, llora. Le digo que no coja el teléfono y me mira aterrada. ¿La tiene amenazada? ¿O será que con tal de tenerle en su vida traga lo que haga falta?

***

Fiestas de San Jorge. Estamos de marcha por las txoznas. No paramos de sacar katxis de kalimotxo y de cerveza. Bailamos todo lo que nos pongan. Susana está dando patadas al aire como una loca y cantando a grito pelao «Sarri, Sarri, Sarri, Sarri, Sarri, Sarri». Se enfada cuando Egus le dice que no se sabe la letra en euskera y que se inventa la mitad. No me gusta esta txozna, pero éstas insisten en venir porque es donde más marcha hay. Me repatea pagar al camarero y ver detrás la puta bandera con el hacha y la serpiente. No me extrañaría que Kepa hiciera turno voluntario aquí. Y si no es aquí, en cualquiera de las otras. Entre la de Gestoras Pro-Amnistía, la de Jarrai, la de la Herriko, la de Ikasle Abertzaleak y no sé cuántas más, estos tíos tienen controladas todas las txoznas. Propongo ir a otro sitio, pero no me hacen caso. Habrá que bailar entonces. Gema me da un codazo que se me clava en las costillas.

–Joder, tía, qué bruta eres.

–Mira, está Iker con su cuadrilla.

–¿Y a mí qué?

Le veo a lo lejos. Él me ve también. Me pongo de espaldas a su grupo y le cojo el katxi de kalimotxo a Patri.

–Pues te está mirando. Date la vuelta, me dice Gema.

–Para ya, ¿vale? No le quiero ver.

–Qué bueno está, tía. Y Jokin ni te cuento. Venga, vamos a hablar con ellos.

–Que no, joder.

–Pues voy yo.

Gema se acerca a ellos. Me doy la vuelta y la veo susurrando algo a Iker. Me muero de vergüenza. Jokin me mira. ¿Se acordará de aquel magreo? Ha pasado más de un año, pero a mí no se me ha olvidado. Les miro otra vez. Gema me hace un gesto para que vaya donde ellos. Dejo de mirarlos y me pongo a bailar con Susana, que sigue haciendo el loco y dando patadas al aire ahora al ritmo de «Nicaragua sandinista». Siento un golpecito en el hombro. Me giro. Iker. Detrás de él veo que Gema se ha quedado con Jokin y el resto de su cuadrilla. Me da miedo que le cuenten lo que pasó.

–Aúpa, Amaia.

–Aúpa, Iker.

Nos gritamos por encima de la música.

–¿Qué, de marcha?

Asiento sin ganas con la cabeza. Está más de un año sin apenas saludarme ¿y hace como si no pasara nada?

Iker se acerca a mi oído. Se tambalea. Huele mucho a alcohol.

–¿Por qué no me hablas?, me dice.

Me separo de él y le miro perpleja.

–¿Soy yo la que no te habla?

–Sí, desde hace un huevo de tiempo.

–Tendrás jeta. ¡Fuiste tú el que me dejaste de hablar!

–No, no fui yo.

Paso de él. Le doy la espalda y sigo bailando con éstas, que me miran con cara de interrogante. Vuelvo a sentir un par de toques en el hombro.

–Iker, déjame en paz, estás borracho.

–Me molas mogollón, Amaia.

Le miro y lo único que siento es rabia.

–Vete a la mierda.

–¿Te enrollas con la mitad de mi cuadrilla y no quieres enrollarte conmigo?

–Eres un gilipollas. Ese día lo pasé fatal, ¿me oyes? ¡Fatal!

Iker me mira tambaleante. Veo que Gema se acerca con Jokin y el resto de los amigos. Están muy borrachos. Jokin me extiende su katxi de cerveza. No se lo cojo. Se encoge de hombros. Empiezan a rular un porro. Todas fuman menos yo. Iker no me quita ojo. Vuelve a acercarse.

–El año que viene me voy a estudiar hispánicas a Navarra.

–Por mí como si te vas a hacer veterinaria al Polo Norte.

Iker se tambalea otro poco. Va a decir algo pero parece que no acierta a encontrar palabras. Después de unos segundos me coge un mechón de pelo torpemente.

–Estás buenísima, Amaia. Me encantas con el pelo largo.

Se vuelve a tambalear y me estira del pelo. Me lo quito de encima con un manotazo.

–Te he dicho que me dejes en paz.

–¿No quieres salir conmigo? Te estoy pidiendo para salir.

–No, no quiero.

–Te lo voy a volver a pedir cuando no esté borracho.

–Y te volveré a decir que no.

Me cambio de sitio en el grupo. Bailo y evito quedarme al lado de Iker. Gema desaparece con Jokin poco después. Egus y Susana se van con otros dos a meterse speed a algún rincón. Ibana también ha desaparecido, pero no sé con quién. Sólo quedamos Patricia y yo.

–Patri, me quiero ir. ¿Nos escaqueamos?

Patri está borrachita perdida. Me mira y me sonríe. Asiente con la cabeza. La cojo de la mano y, sin despedirme de Iker y el resto, me voy. Oigo la voz de Iker gritar mi nombre por encima de la música. Estiro de Patricia y nos vamos corriendo entre los grupos de las txoznas primero y después entre los que esperan en el parque a que empiece el concierto. Nos sentamos en la hierba.

–Me ha entrado Iker.

–¿Síííííí?

–Sí, pero paso de él.

Patricia levanta un dedito y parece que va a decirme algo, pero no le salen las palabras. Después de un rato me dice, arrastrando cada sílaba:

–Tú pasas de todos los tíos, Amaia. Tienes un problema.

Me río. Tiene razón. No en que tenga un problema, sino en que paso de los tíos. No me interesan. Son todos unos cazurros o unos inmaduros o simplemente gilipollas. Como Iker, puto cobarde. ¿Hace cuánto que le gusto? Seguramente desde que somos niños y me lo dice ahora, todo puesto, y encima con reproches. Subnormal.

–Sí, paso de ellos. Pero soy feliz.

Me mira y me vuelve a sonreír. Temo que se me quede dormida, así que la cojo por la sobaquera, la levanto y me la llevo a dar un paseo hasta las barracas. Patri quiere subirse en el pulpo, pero me imagino el efecto que puede tener en ella, así que seguimos andando contra la corriente de gente que se dirige al concierto y a las txoznas. Paseamos durante mucho tiempo en silencio, agarradas de la cintura. Me imagino a Gema con Jokin y me da un poco de asco. Volvemos al pueblo poco después. Nos metemos en un bar que sólo ponen música pija y la gente es bastante más mayor que nosotras, pero hacemos el ganso bailando y nos lo pasamos bien. Para cuando salimos del bar está amaneciendo. A Patri se le ha pasado ya la borrachera.

–Oye, ¿de verdad te ha entrado Iker?

–Sí.

–¿Y de verdad que pasas de él?

–Totalmente.

La dejo en su portal. La calle está llena de gente retirándose a dormir. La mayoría borrachos todavía, otros con pintas de zombis, como supongo que tendré yo. Al llegar al portal veo a alguien sentado en las escaleras. Es Iker. Está dormido. No está apoyado en la puerta, así que meto la llave muy despacio, la abro sin despertarle y entro corriendo en el portal. Me giro antes de doblar la esquina para coger el ascensor. Se ha despertado y me mira a través del cristal. No me detengo ni un segundo. Doblo la esquina y me meto en el ascensor.

Ama me está esperando en la cocina, despierta.

–Hija, vaya horas.

–Pero ama, ¿has estado despierta toda la noche?

–No, me dormí a eso de las tres o así, pero me acabo de despertar y me he asustado al no encontrarte.

–Son fiestas, ama.

–¿Has bebido? ¿Has fumado?

–No, ama. He bebido un poco de kalimotxo, pero no he fumado ni me he drogado ni nada.

–Aníbal tenía tu edad cuando empezó con la heroína.

–Ya lo sé, ama, me lo has recordado mil veces. Y mil veces te he dicho que paso de drogas, de alcohol y, para que sepas, de tíos también.

–Bueno, tampoco quiero que te comportes como una monja. Ven, anda, dame un beso.

Me acerco y la beso.

–¿Contenta?

–Sí, hija, vete a acostarte.

–Eh, no tengas prisa, que me voy a hacer el desayuno.

Ama se ríe.

–Ya te lo hago yo. ¿Qué quieres?

–Jo, me comería unos huevos con patatas más a gusto...

–Qué tragaldabas eres, hija. ¿Ya vas a aguantar despierta hasta que te los haga?

–¡Con el hambre que tengo! Me ducho y me pongo el pijama. Ahora vuelvo.

Entro en el baño y me quito la ropa. Está apestosa del humo de los bares y la cerveza y kalimotxo que me ha caído encima. Me desnudo y me miro en el espejo. Por delante y por detrás. ¿Qué verá Iker?

* * *

Las notas de segundo no van a ser mucho mejores que las de primero, pero por lo menos no he dejado ninguna para septiembre. Aitor es de letras y aun así siempre ha sacado buenas notas en ciencias. Y para los idiomas es una máquina. La mitad de mi cerebro habrá salido al del cazurro de Kepa. En el carácter ama me dice que me parezco a Aníbal. Por eso siempre le da miedo que acabe con malas compañías. Lo que no sabe la pobre es que ahora todo el mundo se mete algo: si no es costo, es speed o tripis. Si Aníbal hubiera nacido seis años más tarde estoy segura de que no habría muerto de sobredosis de caballo, aunque posiblemente habría acabado con el cerebro como un queso gruyer. Igual mejor desaparecer a tiempo. ¿Qué pensaría de todo lo que está pasando con nosotros? Seguro que estaría orgulloso de ama por haber dejado de beber. Con Aitor discutiría por ser tan despegado y por hacerme tan poco caso. A Kepa le diría que se dejara de hostias con la política. A aita, no sé. Supongo que seguiría pensando que es un capullo, sobre todo estos días, que cada vez que llama ama se pone fatal. Y a la abuela, a la abuela igual le daba las gracias por mantenernos a flote tanto tiempo. Aníbal era más generoso que yo.

* * *

Estoy haciendo la maleta. Mañana salgo para Galicia. Todavía no sé si debería ir. Las últimas conversaciones telefónicas entre ama y aita no auguran nada bueno. No sé de qué han hablado, pero sé el efecto que han tenido en ella. Es como si aita estuviera aquí, con la mano levantada a punto de dejarla caer. Y a mí se me revuelve el estómago al verla así, todavía tan afectada, a pesar de estar él en la otra punta del país. Ama me dice que haga lo que quiera, que no me sienta obligada a ir, pero a mí en parte me apetece salir de aquí, cambiar de aires, y vivir un par de meses lejos de todo esto.

Ama y la abuela se van a Badajoz parte del verano. La abuela salió escopeteada de allá después de que mataran a su padre en la guerra y desde entonces no ha vuelto. Después de sesenta años quiere ir. «Quiero ir antes de morirme», dice. ¡Morirse! Lo lleva anunciando veinte años. A ama parece que le hace ilusión ir, entrar en contacto con esa parte de su historia que apenas conoce. Está recuperando tantas cosas desde que no bebe... incluso la relación con la abuela. La abuela también ha mejorado lo suyo; será que al ver a ama bien se le ha suavizado el carácter y ahora no tiene que preocuparse tanto de que nos llegue el dinero hasta fin de mes. Podría ir con ellas, de hecho creo que a ama le gustaría, pero la abuela me dice que va a hacer mucho calor, que vamos a estar todo el rato con viejos, que me voy a aburrir... y que no sabemos cómo va a reaccionar aita si no voy a verle.

Kepa tampoco estará aquí. Se va de casa en pocos días. Según él, a vivir con unos amigos. No sabemos quiénes son, excepto Goiko; tampoco de dónde saca el dinero. No ha aprobado COU ni ha encontrado trabajo.

Si no fuera porque no sé lo que me espera con aita, no tendría ninguna duda de que quiero ir. Echo de menos mis carreras por las campas, los baños en la playa, la tranquilidad de hacer lo que me dé la gana en cada momento. ¿A aita? ¿Echo de menos a aita?

***

La casa sigue siendo la misma. La misma María que casi me asfixia a besos, el mismo Pazos, seco y vigilante. Las mismas campas, la misma playita donde bañarme. La misma librería en el pueblo con el mismo librero atento y cariñoso. Las mismas mil pesetas diarias. Falta Beni. Pazos dice que se ha ido a trabajar al extranjero. A saber. Hay un elemento nuevo: Alex, que en una semana me ha tirado los tejos ya dos veces y que se pasea por casa como si fuese suya. Aita está extraño. Me pregunta constantemente por ama: que cómo está, que si seguro que ya no bebe, que si sale con gente, que si está gorda, que si está delgada, que si cómo lleva el pelo, que si se cuida. El año pasado no me preguntó ni una sola vez por ella y en esta semana no ha dejado de hacerlo. Si no es para preguntarme por ama, apenas me habla. Sólo le he visto durante las comidas, y ni siquiera en todas. Está tenso. Está raro. Ceñudo. Gordo como una morsa. Alex y Pazos van con él a todos sitios. No le he visto a solas ni un instante.

* * *

Salgo a correr temprano, en cuanto sale el sol. Veo que hay un coche negro con las ventanas tintadas muy cerca de casa. No veo si hay alguien dentro, pero algo me dice que sí. Cuando vuelvo de correr y de la playa son las nueve de la mañana, ya no está. No me atrevo a decirle nada a aita.

* * *

Pienso que es parte de mi sueño, pero no, me despierto y la voz viene de lejos. Es aita. Está gritando. Dice «no, no, no». Salgo de la cama, al pasillo, enciendo la luz, sigue gritando. Me acerco a su habitación. Desde fuera le oigo «me ahogo, me ahogo». Llamo a la puerta despacio. Le oigo respirar muy fuerte, pero ya no grita. Vuelvo a llamar un poco más fuerte. Abro. La luz del pasillo le ilumina. Está en la cama, destapado, con el torso desnudo, un poco incorporado. Tiene los ojos abiertos como platos.

–¿Aita?

Balbucea algo que no entiendo.

–Estabas gritando, aita, ¿estás bien?

–Sí, hija. Una pesadilla. Tranquila, estoy bien, sí, tranquila, vete a dormir.

Su voz suena extraña, como ausente o lejana. Cierro la puerta. Me parece oírle sollozar, pero no estoy segura. Vuelvo a la cama. Son las cuatro y veinte. Estoy totalmente desvelada.

* * *

El coche está ahí otra vez esta mañana. Paso por delante y vuelvo a tener la sensación de que hay alguien dentro. Hoy regreso un poco antes de la playa, a las nueve menos cuarto. Se ha ido. Igual es alguien que protege a aita; o alguien que lo vigila.

* * *

Le propongo a aita hacer una excursión, como el año pasado. Quiero visitar Vilanova de Arousa, el pueblo de Valle-Inclán, que nos queda muy cerca. María nos prepara un desayuno contundente, una especie de migas que ha hecho con lo que sobró del raxó de ayer. No me extraña que aita esté tan gordo. Hoy parece que su humor ha mejorado un poco. Bromea sobre lo mucho que como, me pregunta por mis planes para estos dos meses, si tengo que estudiar, si me gustaría conocer a algunos chavales de mi edad... Le digo que me gusta estar a mi aire, que no me importa no tener amigos aquí.

–¿Tú ves, María, qué chica tan formal tengo?

María está fregando los cacharros. Cierra el grifo, se seca las manos con el trapo y se da la vuelta para hablar con nosotros.

–Ay, Amadeo, tiene usted un tesoro. Qué le voy a decir yo que usted no sepa...

Mi padre asiente. La deja hablar.

–Los disgustos que nos dio nuestro Antonio...

–¿Quién es Antonio?, pregunto.

–Nuestro hijo mayor.

María vuelve a abrir el grifo y continúa fregando.

–Le pasó como a Aníbal, me dice mi padre casi susurrando.

Acabamos de desayunar en silencio. No sé qué decirle a María; tampoco parece que ella quiera hablar más del tema. Me da vergüenza no haber sabido nada de esto.

Por fin salimos. Nada más montarme en el coche con aita, le pregunto cuándo murió el hijo de María.

–Fue antes de llegar yo. Sería más o menos cuando pasó lo de Aníbal, cinco, seis años como mucho.

–¿Cómo la conociste?

–Me la trajo Pazos cuando me instalé en casa. Me contó que había perdido a un hijo hacía poco, que el marido era marinero y que pasaba muy poco tiempo en casa, que ella cocinaba de maravilla y que quería trabajar.

–Pobre. ¿Sabe lo de Aníbal?

–Sí, se lo conté hace tiempo.

–¿Habláis del tema?

–No...

Me quedo en silencio. No sé si preguntarle por qué.

–¿Tu madre habla de él con vosotros?

–Por un tiempo sólo cuando estaba bebida. Bueno, lloraba y le llamaba o decía su nombre constantemente. Yo lo pasaba muy mal.

A aita le sale un suspiro que casi parece un sollozo. ¿Quiere saber? Pues que sepa.

–Era muy duro porque después, cuando estaba sobria, no quería ni siquiera nombrarle. Pero ahora, desde que no bebe, hablamos mucho más de él, con normalidad. Recordamos anécdotas o sale en las conversaciones. Y como ella está obsesionada con lo de las drogas, siempre me recuerda lo fácil que es caer y esas cosas...

Espero por si dice algo, alguna confesión, algún otro gesto de estar conmovido, un rastro de culpabilidad por lo que le pasó a Aníbal, un reconocimiento de responsabilidad en su muerte. No espero que confiese que es un criminal o que siempre ha estado en negocios sucios, pero ¿que ha sido un mal padre? Sigue conduciendo y ya sé que no vamos a hablar más del tema.

Llegamos muy pronto a Vilanova, aparcamos cerca del centro. Es un pueblo precioso, con un montón de casitas antiguas. El pazo donde nació Valle está bastante descuidado, deberían hacer una casa museo o algo para que no se les acabe derrumbando. Aita me sigue por las calles, escucha mi parloteo, respondiendo lacónico y monosilábico. La conversación de antes parece que le ha dejado triste. Qué espera. A nada que hablemos del pasado van a salir todos los fantasmas. ¿Cree que podemos tener una relación normal?

***

El día está un poco nublado. Perfecto para leer en la playa. Hay gente, pero no demasiada. Me tumbo lejos de las rocas. Están llenas de niños dando gritos y maltratando a quisquillas y pececillos. Hace un poco de fresco. No me quito la ropa, pero me pongo las gafas para que no me moleste el resol. Saco a Pantaleón de la mochila. Me pongo a leer.

Alguien coloca su toalla casi pegada a la mía. Qué puta manía. Tiene toda la playa para elegir y se pone justo al lado. Me quito las gafas de sol para poder mirar al intruso o intrusa con la peor cara posible. Es un tío. Parece un malo de película. Calvo y musculoso. No lleva camiseta.

–Hola, Amaia.

Me cuesta menos de dos segundos reconocerle.

–¡¿Carlos?!

Me sonríe.

–Qué casualidad, ¿verdad?

–Dudo mucho que esto sea una casualidad.

Se ríe. Tiene los dientes muy blancos.

–Vale, no lo es. Te he visto llegar hace un rato y quería saludarte.

Me quedo cortada. No sé qué decirle ni qué hacer. Pasamos unos segundos callados. Estoy sentada en la toalla, cara al mar. Me he vuelto a poner las gafas de sol. De reojo veo que sigue mirándome.

–¿Has venido a ver a mi padre?

–Sí, le haré una visita dentro de unos días.

–¿Y qué haces aquí ya?

–Pues lo que todo el mundo: tomar el sol, bañarme...

–Creo que a mi padre no le gustaría verte hablando conmigo.

–Seguramente no. ¿A ti te importa?

Me encojo de hombros. Sigo sin mirarle.

–¿Qué tal está tu madre?

–Bien.

–¿Y tus hermanos?

–También.

–Veo que sigues siendo tan seca como de niña.

–Y tú tan entrometido.

Se ríe.

–Y veo que te sigue gustando leer. ¿*Pantaleón y las visitadoras*?

–Sí.

–¿Te está gustando?

–Me gusta cómo escribe Vargas Llosa, pero me parece un poco cerdo.

Se vuelve a reír.

–Sí, tienes razón. Igual te gustaría más *Conversación en la catedral*. ¿La has leído? Tiene mucho más contenido social.

Le miro como si de repente le hubieran abducido los extraterrestres y su cuerpo lo estuviera habitando mi profe de literatura.

–Yo también sé leer, me dice sonriendo.

No le digo nada. Siento que me he puesto muy roja. Ojalá no se dé cuenta.

–En mis ratos libres leo mucho y mis favoritos son los latinoamericanos. Gabriel García Márquez por supuesto, pero también otros como Rulfo, Onetti. Me encanta Onetti. ¿Cuál es tu escritor favorito?

–El año pasado me leí *Cien años* y desde entonces me he leído todas sus obras. *El amor en los tiempos del cólera* me la leí dos veces seguidas. O sea, que acabé la última página y empecé la primera de nuevo.

–Anda, ¡eres una romántica!

Mierda, me he vuelto a poner roja.

–¿Y qué más has leído?

–No sé, leo mucho... algunos se me olvidan. Pues Rulfo también, Puig, Carpentier... a mí también me gustan mucho los latinoamericanos. Más que los españoles, la verdad. Los españoles son unos rancios.

–Bueno, aquí tenemos gente buena también.

–Sí, alguno hay... me gusta mucho Rosa Montero. Me he leído la que ha sacado este año, *Temblor,* y me ha encantado.

–Ah, pues a ésa no la conozco.

–Ya, seguro que tú no lees a chicas.

–¿Y qué te hace pensar eso?

Se quita las gafas para mirarme. Me encojo de hombros y me quedo mirando al mar un buen rato. No sé si ponerme a leer o esperar por si me dice algo más.

–Bueno, guapa, te dejo que sigas leyendo tranquila. Yo por hoy he tenido bastante playa.

Recoge sus cosas lentamente. No le miro, pero siento que me está mirando.

–Realmente estás muy guapa, Amaia. Sales a tu madre.

Se va lentamente. No le digo adiós.

* * *

El olor de la empanada recién hecha sube hasta mi habitación. Dejo de escribir en mi cuaderno. Tengo que ir a la librería a comprarme otro. Éste ya casi lo he acabado. Bajo a la cocina.

–Hola, María, ¿de qué la has hecho esta vez?

–De berberechos, a ver si te gusta.

–Córtame un cachito.

–Hay que dejarla reposar un poco más, bonita.

–Teño fame.

María suelta una carcajada. Siempre intento decirle alguna palabra en gallego. La mitad me las invento, pero a veces acierto. Y a ella le encanta: se ríe, me estruja, me da abrazos con vaivén y siento sus tetas mullidas y enormes. Esta vez no es excepción. Me suelto poco a poco de su abrazo y me siento a la mesa.

–María, ¿te puedo preguntar algo?

–Huy, ya está la curiosona. ¿Qué esta vez?

–Bueno, no es una pregunta. En realidad te quería decir que yo no sabía nada de lo de tu hijo y que lo siento mucho.

María se sienta conmigo, me coge de la mano.

–Ya lo sé, bonita. La tristeza que llevarás tú por tu hermano.

–Sí, la verdad es que le sigo echando de menos.

Nos quedamos un ratito así. Me gustan sus manos, grandotas, llenas de callos y a la vez tersas, siempre tan calientes. Las mías, dentro de las suyas, parecen de lémur o de monito.

–¿Te gusta trabajar para mi padre?

María tarda un rato en contestar. Sopesa la respuesta.

–Le estoy agradecida. Me dio este trabajo cuando lo necesitaba y siempre me ha tratado muy bien.

–Pero ¿sabes en qué trabaja?

–La gente habla mucho. Yo lo único que veo en esta casa son papeles y documentos. Y a tu padre trabaja que trabaja.

–¿Y Pazos?

–Primo de mi marido. A Antonio le adoraba; el chaval había empezado a trabajar con él. Después de lo que pasó, removió Roma con Santiago para ayudarnos y encontrarme trabajo.

Me acaricia las manos.

–A quien dan, no escoge, rapaciña.

Me da un par de palmaditas cariñosas, se levanta de la silla con dificultad y retira el trapo blanco que cubre la empanada.

–Yo creo que ya le puedes hincar el diente.

***

Sé que no debería volver. Si aita se enterara, no sé qué pasaría. Nos vemos todos los días en la playa grande. Llego corriendo por el paseo en veinte minutos, me baño, y le espero mientras leo. Él se trae una silla y la pone muy cerca de mi toalla. Se cubre la calva con un sombrero de esos de cubano y me habla, muchas veces sin ni siquiera yo preguntarle. Me habla sobre todo de libros. Hace tres días me trajo *El astillero* de Onetti, para que lo leyera. Lo devoré en un día y me quedé hecha polvo: cuánta desolación y cuánta desesperanza. Cuando le dije que me había gustado cabeceó un buen rato y me dijo que estaba orgulloso de mí. Y que me espera un destino trágico. No supe qué hacer con una afirmación así. Creo que este tío está un poco loco. Me incomoda, pero no lo suficiente como para no volver. Nunca hablamos de aita ni de su relación con él, pero hay una pregunta que me lleva rondando la cabeza desde el año pasado.

–¿Por qué le dijiste a mi padre que tuviera cuidado conmigo, que podía salir a mi madre?

–Prefiero no hablar de esas cosas contigo, Amaia.

–Por algo lo dirías.

–Bueno, ya te lo dije, sales a ella, aunque físicamente seas diferente. Algo en tu carácter. Tu madre es una mujer muy especial, no es una desgracia parecerte a ella.

–Bueno, depende de a qué época de mi madre te refieras...

–Cualquiera.

–Joder, hablas como un enamorado.

–Lo estuve. Estuve enamorado de tu madre.

Me asalta una escena que no había recordado antes. Mi madre en la cocina fregando, vestida de falda y tacones. Yo secando los cacharros. Entra Carlos. Deja una copa en el fregadero. Me dice que me llama mi padre. Voy al salón. Aita me dice que no quiere nada, que le deje en paz. Vuelvo a la cocina. Carlos tiene su pecho pegado a la espalda de ama y parece que le está diciendo algo al oído. Se sobresaltan. Carlos se va. Ama continúa fregando como si nada.

Se me acelera el pulso.

–¿Te tiraste a mi madre?

–¿Qué forma es ésa de hablar de tu madre?

–Te la tiraste.

–No fue así.

–Pues a ver, dime cómo fue.

Carlos se queda callado lo que parecen minutos. Yo juego con mis dedos de los pies o miro al mar, que hoy está especialmente bravo.

–Desde que la conocí me pareció una mujer muy atractiva y era obvio que yo le gustaba. Me daba pena cómo la trataba tu padre y ver que se estaba echando a perder con el alcohol. Tu casa era un lugar muy triste, Amaia. Tú no te darías cuenta porque eras sólo una niña.

–Me estás vacilando, ¿no? ¿Tú qué clase de infancia crees que tuve?

Después de un rato sigue hablando muy bajito. Casi no le oigo.

–El caso es que por mucho tiempo no pasó nada entre nosotros. Yo notaba sus miradas, su coqueteo, sobre todo si había bebido un poco más de la cuenta y Amadeo no estaba cerca. Pero a mí ni se me ocurría seguirle el rollo. La trataba con respeto y distancia. Pero llegó el momento en que Aníbal empezó a meterse heroína. Me llamó un día para que le ayudara a encontrarlo. Hacía semanas que no sabía nada de él. Quedamos en Bilbao. Tu padre durante esta temporada andaba con una putilla de las suyas y apenas iba a casa. Ayudé a tu madre a buscar a Aníbal y, bueno, ahí empezó todo.

–¿Mi padre andaba con una puta?

–Sí, ¿te sorprende?

–No.

–¿Te sorprende más que tu madre se liara conmigo?

–Ya no sé qué me sorprende. Y cuando murió Aníbal, ¿seguisteis juntos?

–Sí, un poco. Yo intenté apoyarla, pero tu madre no levantaba cabeza y nosotros tampoco podíamos estar mucho en la zona, así que...

No dice nada más.

–¿Y mi padre se enteró?

–No, en el momento no. Bueno, ahora sí lo sabe. Se ha enterado este año. Tenía la sospecha de que había habido algo, pero esta primavera la confirmó. Todavía no sé cómo.

–Pero por eso no os enfadasteis, porque el verano pasado ya te rompió la nariz.

–Nos enfadamos por asuntos de negocios. Ahora he vuelto para resolver las dos cosas.

De repente lo tengo todo claro: por eso han discutido tanto por teléfono los últimos meses. Por eso ama vuelve a tener miedo. Por eso ha querido irse a Badajoz con la abuela. ¡Y me deja venir aquí sabiendo en qué estado está aita!

–Desde que me lo contó tu madre me he temido lo peor. Que fuera a vuestra casa y cometiera una barbaridad...

Es como si de repente, sólo ahora, lo que me ha contado Carlos se hubiera vuelto real. Me levanto de la toalla. Creo que Carlos sigue hablando pero ya no lo oigo. Cojo mi ropa y las zapatillas, la toalla y la mochila, y salgo corriendo de la playa. Oigo la voz de Carlos que me grita en la lejanía, pero no miro atrás. Sigo corriendo en bikini por el paseo, con todos mis trastos en las manos, hasta que noto un dolor agudo en el pie izquierdo. Me paro. Estoy sangrando. Cojeo hasta un banco. Me miro. Me he clavado un cristal. Lo saco despacio. Es pequeño. Saco un clínex de la mochila y me limpio la sangre. Miro hacia la playa y veo que se acerca Carlos corriendo. No me molesto en levantarme. Me alcanzaría de todas formas.

–Amaia, por dios, no te vayas así.

–Déjame, Carlos, no quiero saber nada más.

–Lo siento, por eso no quería que habláramos de estas cosas...

–¿Te vas, por favor?

Carlos mira hacia la izquierda y hace una mueca extraña, como de pánico. Se da la media vuelta y vuelve hacia la playa, con paso ligero. Miro a la izquierda y veo a Alex, que se acerca sonriente.

–Hola, guapa, ¿algún problema?

–No, que me he clavado un cristal.

–¿Y ése?

–Un señor que me ha visto cojeando y ha pensado que necesitaba ayuda.

Alex se sienta a mi lado en el banco.

–Déjame ver ese piececillo.

–No hace falta, de verdad.

No me hace caso y me agarra el tobillo. Me acaricia un poco la pierna antes de acercar la cara a la planta del pie. Me da asco.

–Es verdad, no es nada, pero no deberías andar hasta que te lo desinfectes. Tengo ahí la moto. Te llevo.

–Prefiero volver caminando, pero gracias.

–Como quieras, guapa.

Me coge del mentón en un gesto de galán de cine antiguo y me sonríe. Qué hortera y qué repelús. Tiene los dientes blancos y perfectos. Como los de Carlos. Me separo un poco para que me suelte. Se da un par de palmadas en los muslos, se levanta y se va.

Me calzo. Me duele. Echo a andar por el paseo. Si corriendo me lleva veinte minutos, andando me llevará casi una hora, sobre todo cojeando como cojeo. Me giro para ver si viene Carlos, pero no hay rastro de él. Ha reconocido a Alex. Tiene miedo de aita. Y ama tan tranquila, en Badajoz o donde sea. Pensaba que había cambiado, que era el alcohol lo que la hacía egoísta, que este año me había demostrado que podía ser una madre mínimamente normal. ¿Y ahora? No entiendo. No entiendo. No entiendo nada. Me duele el pie. Me duele mucho. Se me saltan las lágrimas. Me concentro en el dolor. Con cada pisada me sube una punzada, un calambre hasta la tripa. Piso más fuerte. Que me duela más. Ando más rápido. Está bien el dolor. Está bien. Otra pisada. Y otra. Y otra.

Llego a casa. Entro por la parte de atrás para subir directamente a mi cuarto, sin pasar por el salón. Me meto en la habitación. Me quito la zapatilla. El calcetín. Está lleno de sangre. Quiero ir al baño a lavarme, pero temo hacer ruido y que aita me oiga. No quiero verle. Paso un rato sentada, contemplando mi pie ensangrentado. Decido salir. Abro la puerta. Está aita. En el umbral de mi puerta.

–¿Dónde estabas, puta?

No entiendo. Ha dicho puta.

–Te he hecho una pregunta.

Se acerca mucho a mí. Vuelvo a entrar en la habitación.

–Aita...

–¿Con quién has estado, puta?

–Aita...

Me empuja. Me caigo al suelo, sobre un codo. Me duele.

–¿Qué has estado haciendo con ese tío?

Una patada en las costillas. Me falta aire.

–Hablar...

Otra patada. Me coge del pelo y tira hacia arriba.

–¿Qué te ha contado?

–Nada, aita, no me ha contado nada. Suéltame, por favor.

–Igual de puta que tu madre, ¿eh?

Tira más del pelo. Con la otra mano me da una torta.

–Igual de puta, igual de puta.

Lo repite mientras me sigue pegando. Patadas en la espalda. Puñetazos en la cabeza. Me mareo. Patada en el estómago. Arcada. Sale bilis. Sigo oyéndole decir puta, puta, puta. Creo que ha entrado alguien en la habitación. Pazos. Se lo lleva. Me quedo en el suelo. No sé cuánto rato. Siento frío en la cara. Abro los ojos. Alex me está limpiando con un paño.

–Perdona, Amaia, no sabía que se iba a poner así.

No me puedo mover. No puedo hablar.

–Me preguntó si sabía dónde estabas y le dije que te había visto en el paseo. Le extrañó que hubieras ido a la playa grande y me empezó a hacer un montón de preguntas. Hasta que le di la descripción de ese tipo. ¿Quién es? ¿Por qué se ha puesto así?

Tengo los ojos cerrados. No los quiero abrir. Alex me sigue limpiando la cara. Me limpia el pie. Me da pomada en las costillas, en la espalda. Me hace tomar una pastilla.

–Sólo tienes un poquito de sangre en un labio. Igual se te pone el ojo morado y tendrás moratones en el cuerpo, pero nada más. Intenta descansar. La pastilla te ayudará.

Abro un poco los ojos y le veo salir de la habitación. En la mesilla está el billete de mil pesetas. Cansancio. Pesadez. Sueño. Todo negro. Caigo. Caigo. Caigo.

Me despierto. Es de día. Me duele todo el cuerpo. Huele a vómito. Aita. Se me atenaza el estómago. Me intento mover. El dolor me detiene. Siento pasos en el pasillo. El corazón se me sale del pecho. No puedo respirar. Me zumban los oídos. Se abre la puerta.

–Ay, rapaciña, ¿qué te ha hecho ese animal?

Es María. No puedo hablar. No puedo respirar. Se sienta en la cama y me intenta abrazar, pero de mi boca sale un quejido. Se asusta y se separa.

–Por dios, no hay derecho, pobre niña mía.

Me acaricia la cabeza y con el contacto de su mano en mi pelo estallo. Lloro como hacía años que no lloraba. Me duele llorar. Está bien que me duela. María me arrulla. Me dice que llore. Que no me preocupe y que llore todo lo que quiera. Aníbal. Lloro por Aníbal. Aníbal. Mi tato. Aníbal.

María me cuida toda la semana. Apenas he salido de la habitación. Los primeros días usaba una bacinilla. Ahora voy al baño cuando siento que no hay nadie cerca. Alex me visita todas las tardes. No sé si lo hace porque quiere o le manda aita. Un día se asomó y me hice la dormida. Alex me dice que está muy triste y que le pregunta cómo me ve. Hijoputa. Será que le preocupa que me hayan quedado marcas. El moratón de la cara ya casi se ha ido. Está amarillo. Los del cuerpo también. María me ha estado poniendo cataplasmas apestosas toda la semana, pero me han hecho bien. La pobre se desvive para que coma, pero no tengo hambre. En cuanto me recupere un poco, cojo la mochila y me voy. Y esta vez no haré el error de contárselo a nadie. Le meteré una nota de despedida a María en el cesto de las patatas o en el delantal o en el tarro de las alubias. Iré andando hasta el pueblo y allí pillaré un taxi hasta Santiago. De algo me tiene que servir el dinero que me da este grandísimo hijo de puta.

***

Se supone que ama todavía no ha vuelto de viaje, pero por si acaso llamo desde una cabina del parque. Nadie coge. Espero media hora. Vuelvo a llamar. Nada. El otro no le habrá dicho que me he fugado. Dudo que ama le haya dado ningún teléfono de contacto en Badajoz. Además, ¿qué le va a contar? ¿La pegué una paliza brutal y se fue? Bueno, a ella tampoco le extrañaría. Lo de la paliza, claro. Tengo las llaves de casa. Voy a coger mi dinero y después...

Las dos cerraduras están echadas, así que seguro que no hay nadie. Entro en casa. Está todo oscuro. Las persianas bajadas. No, todavía no ha vuelto. Voy a mi habitación a dejar la mochila. Después a la de Aníbal. Está vacía de nuevo. Kepa se ha llevado toda su ropa y sus discos, algunos libros. Vuelvo a mi habitación. Busco el teléfono de Aitor en Madrid y el sobre con el dinero que me queda del verano pasado. Tengo todavía doce mil pesetas, más diez mil que me he traído de esta quincena. ¿Cuánto tiempo podría vivir por mi cuenta con este dinero?

Me sobresalta el timbre del teléfono. Será ese hijoputa, llamando a ama. O queriendo saber si estoy. ¿Lo cojo? Sí, lo cojo. Tiene que ser él.

–¿A ver?

–Amaia, hija...

Y se echa a llorar. El hijoputa se echa a llorar.

–Si quieres hablar con mi madre, no está.

–Lo siento, Amaia, lo siento...

Sigue llorando, hipando, sorbiéndose los mocos.

–No quería hacerte daño, te lo juro... tú no tenías la culpa de nada, ese Carlos, vuelve a casa, te juro que no...

–No quiero saber nada más de ti. No quiero tu dinero, ni tu casa, no quiero volverte a ver en la puta vida.

Cuelgo. Vuelve a llamar. Me voy al cuarto. Meto ropa limpia en la mochila y me voy. No echo la llave a la puerta. Desde la escalera oigo que el teléfono sigue sonando.

No sé qué hacer. Vuelvo a Bilbao. De nuevo llamo a Aitor desde una cabina. Nada. No contesta. No está en Madrid. Se habrá ido de vacaciones con alguno de sus compañeros de piso. Y si estuviera, igual tampoco me dejaría irme con él. Me diría que ya me lo avisó. ¿Adónde voy ahora? Todas mis amigas están fuera. ¿Y Kepa? No tengo su teléfono y tampoco la dirección de su casa. ¿Me meto en un hotel? Paseo por Bilbao. Bajo al casco viejo. Hay mogollón de ambiente, de gente tomando potes. Huele a tortilla de patata. Me doy cuenta de que no he comido en todo el día. Me acerco al bar de donde sale el olor y pido un bocata. Me siento afuera a comérmelo. ¿Y si vuelvo a casa? Se supone que ama estaba fuera hasta finales de mes. El hijoputa no va a venir hasta aquí a buscarme. Y cuando vuelva ama... cuando vuelva ama ya veremos.

Llamo a Gema. Ella sabe que no me puedo quedar con su familia en Benidorm. Lo ha intentado mil veces, pero sus padres siempre dicen que no. Tan simple como que no les gusto. O no les gusta mi familia. O las dos cosas. A Gema le cuento lo que ha pasado y se echa a llorar. Pobre. Va de dura, pero en el fondo es supersensible. A Patricia mejor ni la llamo.

Por las noches paso miedo. Pili lo llamaba terrores nocturnos. Me despierto sintiendo que hay una presencia en la habitación, como si alguien estuviese al pie de la cama. Incluso a veces puedo vislumbrar una silueta, escuchar un susurro o algo que se mueve muy cerca de mí. Y a veces oigo, claramente, una voz. La escucho en sueños. Me dice una palabra que me despierta. Una palabra que no entiendo. Me despierto con el eco de la palabra y me da la impresión de que alguien la ha pronunciado fuera del sueño. Entonces se me acelera el corazón, siento el zumbido en los oídos, me quedo paralizada. Tiemblo. Los segundos en los que mi brazo se estira y mi mano encuentra el pequeño interruptor de la lámpara de la mesilla son eternos. A veces no la encuentro y escucho mi propio grito ahogado. Y los segundos se estiran todavía más hasta que enciendo la luz. En ese momento sé que no voy a encontrar rastro de nada y sólo oigo mi corazón latiendo a mil por hora. Así cada noche mientras estoy sola en esta casa. Ahora todavía no he apagado la luz. Creo que no lo voy a hacer. Podría pensar que esa presencia que siento es Aníbal y que está aquí para protegerme. Pero sé que no lo es. Si fuera él, me ayudaría a no pasar miedo. Me diría que el monstruo ya no está debajo de la cama, que él mismo lo ha matado con sus propias manos.

* * *

Mi arroz está más rico que el de ama. Me he bebido una botella de vino blanco. Me gusta la sensación de empezar a perder la conciencia de las cosas, la sensibilidad de mis propios miembros, a confundir la distancia entre mi cuerpo y los objetos que me rodean. Disfruto la dejadez, la pesadez, la inmovilidad que me invade. Quedarme dormida en el sofá y despertarme sin saber la hora que es. Sin haber soñado. Sin saber quién soy o dónde estoy. Beber un poco más hasta no saber si pienso o no pienso. Ni siquiera si existo.

* * *

–Eres una puta egoísta, eso es lo que eres.

–Como me vuelvas a hablar así, te cruzo la cara.

–Puta y egoísta. Las dos cosas.

Me intenta pegar una torta. La esquivo y le doy un empujón con todas mis fuerzas. Se cae al suelo. Me mira con la boca abierta, como de no creerse lo que acaba de pasar.

–Te tirabas a ese cerdo de Carlos mientras Aníbal se moría. Dejaste que aita nos maltratara con tal de que te diera tus caprichos.

–Hija, por dios...

–Eres una inútil, has sido incapaz de cuidarnos. Encima me usas para que te vuelva a dar pasta. Y me mandas allá sabiendo lo que iba a pasar.

Ama llora. Sigue en el suelo. Me dan ganas de patearla.

–Es injusto, hija, es injusto...

No espero a que intente razonar mi injusticia. Me voy. Egus ha vuelto hoy de vacaciones. Y son fiestas en Portu. No pienso volver a casa en todo el fin de semana.

***

Me rapo el pelo en plan mohicano, de las orejas a la sien, y me pongo coleta alta. Ama me mira espantada, pero no me dice nada. No nos hablamos. Estamos las dos solas en casa y no nos dirigimos la palabra. Ya hace dos meses. Me da igual. Si cree que le voy a pedir perdón, lo lleva claro. Tengo razón. Tengo razón en todo. No me dice nada de las gaupasas ni de los fines de semana que no vengo a casa. No sé si tiene miedo de preguntarme o es que pasa de mí. A la abuela la mandé a tomar por culo y tampoco me habla. Mejor. Y el hijoputa no sé si llama. Ya no la oigo hablar con él, pero igual es porque nunca estoy en casa. Ha empezado el curso. Me intentaron elegir delegada y les mandé a la mierda. Bastante tuve el año pasado. Que pringue otro. Las clases son un coñazo, pero por lo menos no tengo ciencias.

***

Hoy llega Aitor. Esta vez se queda hasta Reyes. Todo un récord. Kepa dice que vendrá en Nochebuena y Navidad. No sé para qué. A la abuela la aguantaremos todas las fiestas. Cojonudo. Odio las Navidades.

He ocupado el cuarto de Aníbal. He quitado todos los pósters que había dejado Kepa. En honor a Aníbal he restituido a Eskorbuto y he añadido otro de Extremoduro, que seguro que le molarían tanto como a mí. Con el tocadiscos en la habitación, sólo salgo de aquí para comer y para ir al baño.

No le he dado las notas a ama. Tampoco me las ha pedido. Sólo he aprobado historia, literatura y filosofía. Todas las lenguas pencadas: latín, griego, inglés y euskera. Aitor seguro que me da el coñazo. Las últimas cartas me preguntaba qué carrera voy a hacer. ¿Y yo qué coño sé? Todavía me queda mitad de tercero y COU.

Salgo a darme un rule. Me llevo la cinta de los Sex Pistols de Aníbal en el walkman. Se oye fatal, pero me da igual. Todavía le veo dando saltos en el sofá del salón, haciendo de Sid Vicious. Puta mierda, Aníbal. A veces no sabes la envidia que me das. Me voy hasta el faro y me echo el canuto que me queda del fin de semana. Qué bien los lía Egus. No quiero volver a casa. No quiero ver a Aitor ni a ama. Pero sé que si no aparezco o llego muy tarde va a ser peor. Vuelvo a casa, entonces.

Efectivamente, Aitor ya ha llegado. Están sus botas detrás de la puerta del hall. Me acerco a la cocina. A mitad del pasillo oigo su voz.

–¡Amaia! ¡Estamos aquí!

–Voy.

Entro en la cocina. Aitor se ha levantado de la silla y se acerca para abrazarme extendiendo los brazos. Pero en mitad del movimiento se detiene. La sonrisa con la que empezaba a saludarme desaparece. En su lugar, aparece un gesto que está entre la sorpresa y el desprecio.

–Pero ¿qué te ha pasado? ¿Qué pintas llevas?

Me doy cuenta de que no me ve desde la semana santa pasada, hace unos nueve meses. Me encojo de hombros.

–Has engordado mogollón.

–Gracias, tío.

Me doy la vuelta y salgo de la cocina. Ama ha asistido al encuentro sin abrir la boca ni mirarme a la cara.

–Amaia, perdona, es que...

No le escucho. No me paro. No le perdono. Me voy a mi habitación. Pongo un disco de Extremo a tope y me tumbo encima de la cama. Después de tres canciones oigo que llaman a la puerta. No respondo. Vuelven a llamar. Paso. Se abre la puerta. Es Aitor. Entra y mira alrededor.

–A Aníbal le hubieran gustado los nuevos pósters. ¿Puedo bajar un poco la música?

Me encojo de hombros. Aitor la baja. Me incorporo sentada en la cama. Él se sienta en una esquina.

–¿Te gustan los Extremoduro?, me pregunta.

–Mogollón.

–A mí también. El tío es un poeta. ¿Cuál es tu favorita?

–«Jesucristo García.»

–La mía es «Extremaydura».

–Ya, ésa es muy guapa también. Si quieres vuélvela a poner, que ya se ha pasado.

–No, está bien. Luego lo volvemos a escuchar entero. A Aníbal le gustaría también, ¿a que sí?

–Sí. Siempre pienso en él cuando dice lo de «por conocer a cuanto se margina, un día me vi metido en la heroína».

Nos quedamos un rato callados, escuchando. Cada vez pienso más en Aníbal. ¿Le pasará a Aitor también?

–Oye, Amaia, perdona lo de antes...

–Bah, tienes razón. Me he puesto como una foca.

–¿Ya no sales a correr?

–No.

–¿Por? Si te gustaba mogollón.

–No me apetece.

–¿Y eso que te has hecho en el pelo? Metes un poco de miedo, tía.

–Ja, ja. Eso pretendo.

Aitor me sonríe, pero con una de sus sonrisas tristes. Ahora vendrá la charleta de hermano mayor.

–Ama me ha contado que has estado muy mal desde lo de Galicia. ¿Por qué no me has dicho nada en tus cartas?

–No sé.

–Pensaba que confiabas en mí.

Me encojo de hombros.

–Siento lo que te pasó, de verdad.

–Ya me lo habías advertido tú.

Nos quedamos callados un buen rato. Empieza a sonar «Jesucristo García» y la escuchamos casi entera, cantando bajito las partes que nos sabemos los dos. Me pregunto cuánto le habrá contado ama de lo que pasó allá. Se lo pregunto.

–¿Qué te ha contado ama exactamente?

–No mucho, que aita un día se puso como loco y te pegó una paliza. Y que estos meses estás muy rebelde y que la has pagado con ella.

Qué hijaputa. Y qué bien sabe que yo no le he contado nada a Aitor. ¿Qué hago? ¿Se lo cuento? Bah, para qué. ¿Qué va hacer él con todo eso? ¿Acaso se va a quedar conmigo, me va a ayudar con esta puta mierda de vida que tengo?

–Aitor, llevas mucho tiempo fuera de casa, demasiado como para entender algunas cosas. Mejor lo dejamos así. Mi relación con ama es cosa mía. Y lo que haga con mi vida también.

–Sólo te quiero ayudar, Amaia. Me preocupas.

–Sí, te preocupo estas dos semanas que pasas aquí. Y después, desapareces y recibo una carta al mes como mucho. Eso no te da derecho a preguntarme. Tampoco a intentar controlar mi vida.

Aitor baja la cabeza. Se mira las manos. Asiente varias veces. Se levanta. Sube la música al volumen que estaba antes. Sale de la habitación cerrando la puerta suavemente.

* * *

–Joder, ¿ni siquiera champán?

–No, Kepa. ¿No te enteras, tío? A ama siempre le va a costar más si tiene el alcohol delante. ¿No puedes estar una noche sin pribar o qué?

–Vale, tío, no te pongas borde. Es que, joder, es Nochebuena.

–¿Y?

Kepa mira a Aitor como si fuera un extraterrestre. Están los dos sentados a la mesa de la cocina. Estoy poniendo un salpicón de marisco, mi contribución a la paz familiar. Un gesto que parece que ama ha agradecido. No sé si por mí o por ella. O por las apariencias.

–¿Y tú, desde cuándo cocinas?, me pregunta Kepa.

–Desde que tú no estás por aquí dando el coñazo.

–Joder, pero qué sensibles estáis todos. No se puede decir nada.

–Para decir tonterías, mejor te callas, le contesto.

Para mi sorpresa, Kepa se ríe.

–Esta hermana nuestra cada día es más macarra. Me parece muy bien, Amayita.

Me doy la vuelta con el cuchillo en la mano para mirarle con la peor cara posible.

–Hostia, no me apuntes con el cuchillo. ¿Te acuerdas, Aitor, cuando esta loca me tiró las tijeras? Menos mal que dieron en el cinturón.

–No me extraña, tío, la estabas pegando una paliza... defensa propia.

Sigo picando zanahorias. Mejor paso de los dos.

–Y qué, ¿dónde vives?, le pregunta Aitor.

–En Portu. Con unos colegas.

–¿Y tienes curro?

–¿Qué es esto, un tercer grado?

–Joder, sólo estoy sacando un poco de conversación.

–Hago curros aquí y allá.

–¿De qué?

–De lo que me sale de los huevos, ¿qué te parece?

Aitor resopla y se levanta de la mesa.

–No sé para qué cojones vengo a casa. No se puede hablar con nadie.

No sé si se dan cuenta de que han dicho los dos lo mismo. Aquí cada uno a su pedo.

–Pues ya sabes, vuélvete al puto Madrid, a la capital del imperio.

–A veces me sorprende lo gilipollas que puedes llegar a ser, Kepa.

No les miro, pero puedo sentir la tensión entre ellos. Aitor se acerca a mí y se asoma al cuenco donde voy metiendo todos los ingredientes bien picados del salpicón.

–Qué, ¿te ayudo con algo?

–Pues no sé, ama ha comprado alguna movida para picar. Mira en la nevera y si eso coloca algo en las bandejas.

Aitor se pone a trastear en la nevera. Kepa se queda sentado a la mesa observándonos. Es como estar en la cocina con dos desconocidos. A ver cuándo pasan las putas Navidades.

1991

No sé por qué quedo hoy también con él. Está bueno, pero tampoco tanto. Tiene moto. Y mala fama. Patri dice que pasa speed, que su hermano se lo compra a él. Yo no sé si pasa. Nunca le he visto. Tiene buen costo y me ha invitado a rayas un par de veces, pero tampoco creo que sea camello. ¿Qué me pongo? Bah, lo de siempre: pantalón negro, camiseta negra, chupa, botas. Lista. Paso por delante de la sala. Me voy sin despedirme.

–Hija, no vengas tarde.

Vendré cuando me dé la puta gana. Lo pienso, pero no lo digo. Portazo.

Raúl me está esperando abajo, apoyado en la Vespino. Se sube y yo monto detrás.

–¿Adónde te apetece ir?

–Al Rompeolas o a la playa.

Arranca la moto y va en dirección a Portu.

–¿Adónde vamos?

–A Portu.

Qué gilipollas el tío. ¿Para qué me pregunta? Tenía que haber salido con éstas, joder. En cuanto las vea en Portu, le dejo tirado. Llegamos al primer bar. Pide dos cañas. Las bebemos rápido. Vamos al siguiente. Otras dos. Al siguiente.

Otras dos. Se le acerca gente, le saludan. Yo no hablo con nadie. Escucho la música. Busco a éstas. Por estos bares no andan. Vamos al siguiente. La Herriko Taberna. Yo no quiero entrar. A él le da igual. Entra. Voy detrás. Otras dos. Veo a Kepa. Mierda. Es Kepa. Sabía que iba a estar aquí. Raúl se va al baño. Kepa se acerca.

–¿Qué haces con ese mierda?

–¿A ti qué te importa?

–Pero Amaia, que ese tío es camello.

–Vete a tomar por culo, Kepa.

Le empujo y al hacerlo me choco contra un grupo de tíos. Uno me sujeta del brazo. Me dice algo, pero no me entero. Salgo a la calle. Echo andar por la cuesta. Oigo a Raúl detrás.

–¡Amaia! ¡Espera!

Me paro. Se pone a mi altura.

–Buena idea, vamos a subir hasta el Joker.

No me pregunta qué ha pasado. No sé si ha visto algo o si Kepa le ha dicho algo al salir del baño. Me da igual. Seguimos bebiendo. En el Joker me meto una fila de speed. Me pican la nariz y la garganta. Tengo más sed. Otra cerveza. Jugamos a la máquina de las frutas y escuchamos Led Zeppelin. Salen todo fresas. Nos toca un montón de pasta. Pasamos al whisky: solo y sin hielo. Otra raya. Un porro. Otra raya. Más whisky. Salimos del Joker. Es de noche. Bajamos hasta el faro. Elegimos un lugar en la parte de abajo. Magreamos un rato. Raúl me tumba en el suelo. Es de cemento. Está frío y duro. Se sienta encima de mí. Me sube la camiseta. Me toca las tetas. Me desabrocha el cinturón. Me toca el coño. No me gusta. Tengo frío. Me duele la espalda. Se lo intento decir pero no me sale nada. Intento quitármelo de encima, pero no tengo fuerzas. Me coge el pantalón y las bragas con las dos manos, las empuja hacia abajo. Se suelta el cinturón, se abre la cremallera, se baja los pantalones y calzoncillos. Me incorporo un poco. Veo su polla. Está empalmado. Le quiero decir que no, pero no me sale. Los brazos no me responden. Me abre las piernas con fuerza, todo lo que se lo permite mi pantalón. Cierro los ojos. Empuja. Intenta entrar pero no puede. Me duele. Me quejo. Sigue intentando. Siento un dolor agudo. Se mueve un poco. Me sigue doliendo. Abro los ojos. Hay un tío mirando desde la barandilla de la parte superior del faro. Intento decírselo a Raúl pero no puedo. El tío me mira. Yo le miro. Sabe que le he visto, pero no se mueve. Raúl hace un ruido y cae encima de mí. El tipo de arriba desaparece. Ahora sí le digo.

–Quita.

Raúl se aparta.

–¿Tienes un clínex?

Yo no le contesto. Me levanto del suelo. Me duele la espalda, el culo, el coño. Estoy mareada. Me subo las bragas y el pantalón como puedo.

–¿Estás bien?

No puedo contestar.

–Tía, no habrá sido tu primera vez, ¿verdad?

Siento que se me mojan las bragas. Otra vez náusea. Me acerco a la barandilla a vomitar. Veo todo negro. Sudor frío. Flojera.

Unos brazos me empujan hacia arriba.

–Amaia, venga, necesitas andar un poco.

Es Raúl. Me está intentando cargar. Paseamos por el faro. Miro alrededor a ver si veo al tipo de antes. Me entra la náusea otra vez. Me asomo a la barandilla. Ahora sí, vomito. Estoy así un rato. Me siento mejor.

–¿Quieres tomar algo?

–No, me voy a casa.

–Te llevo.

–No, quiero andar.

–Pues te acompaño.

–No, quiero ir sola.

Me suelto de su brazo. Sé que ando dando tumbos, pero no me importa. Todos andamos igual a esta hora. Tardo poco en llegar a casa. Ama está ya en la cama. Voy al baño del pasillo a lavarme. Lavo también las bragas. Me cuesta quitar el emplasto blanco y sanguinolento. Las llevo mojadas a mi habitación y las pongo encima del radiador. Me intento dormir pero sólo veo los ojos de ese hombre mirándome desde la barandilla.

***

Hoy salgo con Egus. Pillamos costo y un poco de speed antes de pasar el Puente. No me quiero quedar en Portu y encontrarme con ese puto cerdo. Vamos a fiestas de Algorta. Empezamos la ronda en el Puerto Viejo. Veo a Goiko en la puerta de un bar. Está con Kepa. Me ve y se acerca a nosotras. Egus entra en el bar a pedir. Me quedo a solas con Kepa.

–Aúpa, Amaia.

–Aúpa, Kepa.

–¿Qué, hoy también de marcha?

–Como tú.

–Yo me tomo un par de potes y a casa.

–...

–Oye, el tío ese con el que te vi el otro día...

–Ya no estoy con él, no te preocupes.

–Joder, Amaia, claro que me preocupo: estas pintas, que a mí no me importa, pero que te metas tanta caña y andes con gente así...

–¿Y tú? ¿La kale borroka es más sana, o qué?

–No compares, tía. Yo lo mío lo hago por convicción.

–Y yo también. La misma que tú. Una vez Aníbal me dijo una cosa: en esta casa cada uno sobrevivimos como podemos. Tú has elegido quemar coches y tirar piedras, yo prefiero la fiesta.

Veo que Egus sale del bar con las cañas. Se queda parada mirándome, sin saber si venir o no. Le hago un gesto para que venga, pero Goiko la llama y se va a hablar con él.

–Joder, es que lo hablaba con Aitor y tiene razón, nos recuerdas a Aníbal.

–Cojonudo, para lo que queréis os lleváis de puta madre.
–¿Por qué no me llamas de vez en cuando?
–Llámame tú si quieres.
–Si nunca te pones.
Vuelve Egus con las cañas. Se saludan con un gesto de cabeza.
–Llámame, anda.
Kepa me da un beso en la mejilla que me sorprende y se va.
–¿Y eso?, pregunta Egus.
–Nada, un ataque protector de mi hermano. Ya se le pasará.

* * *

No me vuelvo a afeitar la cabeza. Tengo la piel irritada y me han salido granos. Me han salido granos en todos sitios. No me vale la ropa. Voy a estallar las mallas, pero no le quiero pedir a ama que me compre nada. Ella me ve. Sabe que necesito ropa nueva. Queda un mes para acabar tercero y como no espabile voy a pencar todas. ¿Me importa? No lo sé. Igual debería ponerme a estudiar. Tampoco es que tenga nada mejor que hacer. Estoy harta de estar colocada todo el día. Creo que las drogas me aburren. Igual debería pasar, como Aníbal, a algo más fuerte. Dicen que el primer pico de heroína es la sensación más flipante que ninguna droga te puede dar. Supongo que será incomparable a la mierda del speed. Los tripis están bien, pero con el último viaje se me quitaron las ganas de más. Todavía no sé cómo acabé peleándome con un árbol y cómo no acabé tirándome a la ría. Me podría dar por el sexo, pero gracias a ese tío con sólo pensar en ello se me llena la boca de bilis. Y aquel pajillero viéndolo todo. Mejor que me dé asco porque con el aspecto que tengo ni ese mierda se me acercaría. Estoy harta de darme pena.

* * *

Le he dejado las notas encima de la mesa de la cocina. Le sorprenderá que haya aprobado todas. A mí también me sorprende, sobre todo el notable en literatura. Será el haber dejado los tripis y el speed. Gema y Patricia se meten conmigo y me dicen si en alguno de los viajes vi a dios y me he propuesto ser monja. Salgo a correr todos los días; algunos, dos veces. Cruzo el puente y voy hasta Algorta. Me baño en la playa y vuelvo corriendo. También si llueve. Leo en mi habitación la mayoría del día. Y ya está. Ésta es mi vida. Ama se va en julio a Badajoz con la abuela. Me lo dice así, que se van. No me invitan a ir con ellas. Tampoco hubiera ido. Les da igual dejarme sola. Estoy ya sola. Los días pasan lentos, iguales y ese ritmo repetitivo es como otra droga, aletargante. No siento. Nada. Ni para bien ni para mal.

***

Empiezan de nuevo las clases. Me va mejor, pero tengo una media de mierda. A ver cómo acabo COU y selectividad. No sé lo que haré. Igual periodismo. Lo único que me jode de hacer esa carrera es que fue el hijoputa quien me la sugirió. A ama apenas la veo, excepto cuando vuelvo del instituto a mediodía. No parece importarle. Las tardes las pasamos ella viendo la tele y yo estudiando en mi cuarto. Incluso ceno aquí la mayoría de los días. Llevamos más de un año así, bajo mínimos. No hemos vuelto a hablar de nada. Ni siquiera del hijoputa. Jamás me volvió a escribir ni me llamó ni nada. No sé si le ha vuelto a ver en todo este tiempo o si le seguirá pasando dinero. Supongo que sí porque ella tiene buen aspecto y no falta nada en casa. A mí se me ha acabado casi todo lo que tenía. Pensar que me lo fundí en costo, alcohol, speed y tripis. Qué subnormal. El otro día me pareció oír a la abuela decirle que en cuanto me marchara de casa debería vender el piso e irse con ella. ¿Dónde se piensan que me voy a ir?

–¡Amaia! ¡Amaia! Ven, hija.

Qué raro. Qué querrá ahora.

–¡Amaia! ¡Amaia!

–Ya voy, coño.

Entro en la sala. Suena la musiquita del principio del telediario.

–Hija, han dado un avance. Qué horror. Creo que han matado al padre de tu amigo, ese que va contigo a clase.

–Alberto.

No tiene que contarme más. Su padre es concejal del PSE y va siempre sin escolta. Alberto se encontró en su portal la misma diana que solía ver yo con el nombre del hijoputa dentro. Le tenían controlado. Alberto vive en las casas de enfrente del parque. Muchas mañanas subimos juntos al insti y me dice: mira, ahí están ésos, tomando nota de los movimientos de mi aita, de quién entra a los bancos a qué hora y quién sale, a qué hora pasan fulanito y menganito hacia el ayuntamiento. Yo me imagino que cualquier día Kepa va a estar sentado en ese banco.

Sale la presentadora. Dice que le han disparado a bocajarro hace apenas una hora, cuando iba a entrar al portal de su casa. Que un joven se ha acercado por detrás y le ha disparado y ha salido corriendo y se ha subido a un coche negro, donde le esperaba otro. Sacan imágenes de un cuerpo bajo una sábana, frente al portal de Alberto.

–¿No has oído nada, ama?

–Sí, hace una hora o así, pero pensaba que había manifestación.

Es extraño ver las imágenes en televisión de una calle que está tan cerca de casa. Hay gente alrededor del cordón policial. No reconozco a nadie. Quiero ver si está Alberto con su madre, pero no les veo. ¿Estará en casa? ¿Qué se hace en un momento así? ¿Habrán bajado al portal? ¿Habrá muerto en el momento? ¿Le habrá visto Alberto?

–¿Dónde estará Kepa?

–¿Eso te preguntas, ama?

Ama no responde. Seguro que no se está preguntando dónde está Kepa, sino si algún día su hijo será capaz de hacer algo así. De vaciar una pistola en la nuca de un vecino.

Suena el teléfono. No lo quiero coger. Ama tampoco.

–Cógelo, hija.

–Joder... ¿A ver?

–Hola, Amaia, soy Cristina.

–Hola, Cris.

–¿Estás viendo las noticias?

–Sí, lo acabo de ver.

–Es horrible.

–Ya, pobre Alberto...

–¿Qué hacemos?

–No sé, tía, creo que no podemos hacer nada, ¿no?

–Joder, por lo menos guardar un minuto de silencio mañana en clase.

–A primera hora tenemos filosofía.

–Me da igual, yo voy a proponer el minuto.

–Vale, pero Alberto no estará.

–Da igual, joder. ¿Qué te pasa, tía?

No le quiero decir a Cris que todo eso son gilipolleces. ¿Hacer un minuto de silencio? ¿Para qué?

Llego pronto a clase. El pupitre de Alberto está vacío. Cris está ya sentada en el suyo. Me voy al mío y ella me sigue. Entra el Mortadelo. Cris me hace un gesto para que la acompañe.

–Queremos guardar un minuto de silencio por el padre de Alberto, le dice Cris.

–Siéntate, Cristina, voy a empezar la clase.

–¿No vamos a guardar el minuto?

–No.

–¿Por qué?

–Porque no es asunto mío lo que pase fuera de esta aula. Aquí estudiamos filosofía.

–Cuando a ti te da la gana, le contesta Cris.

Cris me mira esperando que diga algo, pero yo no sé qué decir. Se da la vuelta y sale de clase dando un portazo. El Mortadelo se me queda mirando.

–¿Y tú, qué quieres?

–Nada.

Me vuelvo a mi pupitre. Se pone a hablar de la ética de Schopenhauer.

1992

Kepa ha desaparecido. No tenemos noticias de él desde hace tres meses. Ya nadie coge el teléfono en el piso en el que se supone que estaba viviendo con Goiko y ese otro chico.

***

Estoy en mi cuarto. Ama llama a la puerta.

–Hija, ¿puedo pasar?

Desde que me mudé a este cuarto nunca ha entrado aquí estando yo. Sé que a veces entra porque noto algunas cosas cambiadas de sitio. Cambios mínimos, pero para mí perceptibles. Igual busca mis cuadernos, pero ésos los tengo guardados en la maleta, bien cerrada con sus dos candados.

–Estoy estudiando.

–Lo sé, pero me gustaría que habláramos un momento.

Separo un poco la silla del escritorio. Ama se sienta en la cama.

–Hija, este último año ha sido muy complicado para las dos.

No tengo nada que decir.

–Yo sé que en el pasado no he actuado bien, pero me duele mucho que apenas nos hayamos hablado en todo este tiempo. Y yo lo intento, pero me lo pones muy difícil.

–O sea, que es culpa mía
–No, hija, no es cuestión de culpas. Sólo quiero saber si hay manera de solucionar esto.
–No lo sé, ama.
–Ni siquiera tengo claro qué quieres hacer ahora cuando acabes COU, si has pensado salir a estudiar o quedarte aquí o qué carrera hacer.
–Yo tampoco lo sé. Me gustaría irme de aquí.
–Ya...
–Estaba pensando irme a Madrid... pero tendría que encontrar un curro.
–Tu hermano te podría ayudar.
–No cuento con la ayuda de nadie.
–No seas tan dura, Amaia, Aitor lleva intentando ayudarte mucho tiempo y tampoco a él le dejas.
–Mira, si vienes a hablar conmigo para echarme mierda en cara, olvídame, ¿vale? Y no te preocupes, que de casa me voy fijo.
–No tienes que irte. Y, bueno, si quisieras, hay otra posibilidad...
La contemplo hurgarse en las uñas mientras piensa cómo completar la frase. Le cuesta.
–Tu padre...
Me mira, esperando una reacción.
–Tu padre ha estado muy preocupado por ti todo este año. Quiere compensarte por lo que pasó y mantener la promesa que te hizo en su día. Le gustaría pagarte los estudios. Sin ningún tipo de obligación por tu parte. Sólo aceptar su generosidad.
–Estáis locos. Estáis como putas cabras. Sois los dos unos enfermos, ¿me oyes? ¡Enfermos! ¿Tú te crees que voy a aceptar nada de ese tío?
–Hija, tu padre...
–¿Qué pasa, que después de la paliza habéis estado de puta madre? ¿Te ha perdonado ya los cuernos que le pusiste?

–Eso no tiene nada que ver...

Me levanto de la silla y salgo de la habitación. No puedo contener mi rabia. Voy a la cocina. Ama viene detrás. Me habla pero ni siquiera entiendo lo que me está diciendo. Agarro una silla y la machaco contra el suelo, contra la mesa. Veo a mi madre en el umbral de la puerta. Alzo la silla por encima de mi cabeza. La voy a volver a chocar contra la mesa pero veo su cara, esa cara de susto, la puta cara de susto de siempre y no puedo evitarlo. No puedo evitar coger impulso hacia atrás y, con toda la fuerza de la que soy capaz, lanzar la silla contra ella. Oigo un sonido. No sé si es su grito o su cara desquebrajada. Está en el suelo. Llena de sangre. Me licuo por dentro.

Hay un hombre mirándome muy de cerca. ¿Es aquel hombre, el hombre de la barandilla? No. Lleva uniforme. Es enfermero. Me mira el ojo. Me duele un brazo. Tengo una canilla y suero. ¿Por qué me han puesto suero? Ama. El enfermero me sonríe. Me está hablando. Me pregunta cosas. No sé. Hay más camas. Miro a la de al lado. Está ama. Tiene la cara cubierta con gasas. Levanta su mano. Cierro los ojos. Quiero dormir.

No sé si han pasado horas o días. Me dan más pastillas y me dicen que las pruebas han dado negativas. No sé qué pruebas me han hecho. La abuela les dice que lo de los desmayos es de toda la vida. Me dicen que me vista. Que nos vistamos. La abuela habla con ama, pero no las oigo. Viene. Me acaricia el pelo. Me pregunta algo. No sé. Siento humedad en la cara, no sé si estoy llorando. Vamos en taxi a casa. La abuela la ayuda a ama. Parece que no ve bien. No me hablan. Me encierro en mi cuarto. Duermo.

Vuelvo a clase después del fin de semana. Pensaba que había pasado más tiempo, pero sólo he faltado tres días. Ama tiene la cara morada y le han puesto una sujeción en la nariz. No me habla. Yo a ella tampoco. La abuela se pasa el día con ella. ¿Qué pasó?, me ha preguntado.

Me quedan dos semanas de clase y el examen de selectividad. Todos los días hago lo mismo: voy a clase, vengo a casa, como sola, me encierro en mi cuarto a estudiar, salgo a coger algo para cenar, vuelvo al cuarto a estudiar o leer, duermo. Ama y la abuela comen y cenan juntas. Me guardan un plato. El fin de semana se van, no me dicen adónde.

Es sábado. Ayer acabó la selectividad. Hago la maleta. Ama y la abuela no están. Revuelvo todos los cajones de la casa. En total, trece mil pesetas. Más cinco mil mías. Suficiente. Dejo la nota encima de la mesa de la cocina: «Me voy de casa para siempre. En cuanto pueda, te devuelvo el dinero».

PARTE II
El regreso (2009)

Las casas son un poco como las personas. Según envejecen, queda la estructura de lo que fueron, los rasgos reconocibles a pesar de la debacle del tiempo. La casa de mi madre, después de todos estos años, está ajada y entera a la vez. Como ella. Como yo. Me abre la puerta y, durante unos segundos, no sabemos qué hacer. Le doy dos besos y al cogerla de los hombros siento su fragilidad, también la sensación de tener que agacharme más que la última vez que la vi. Se ha aclarado un poco el pelo, ahora lo tiene casi rubio, lo que le da un aire más natural que cuando lo llevaba teñido de caoba. Ha perdido la coquetería de mujer que quiere aparentar ser más joven y eso le otorga una dignidad que igual hace años no tenía. O que yo no veía. Está delgada pero tiene un aspecto sano, de mujer que pasea y toma el aire, que cuida su alimentación, que tiene una vida tranquila; representa justo los sesenta y cinco años que tiene. Con la mierda de vida que ha llevado, ahora, de mayor, se la ve mucho mejor. Se aparta un poco de la puerta para que entre. Por debajo del aroma a café distingo un olor que podría ser de alfombras gastadas y muebles antiguos, pero que aquí reconozco como el olor de la casa de mi madre. Me sorprende, como cada una de las pocas veces que he vuelto, lo pequeño que es el hall, lo cerca que está la puerta del salón por la que entreveo el viejo sofá y los pesados muebles de nogal. Mi madre se adelanta y echa a andar por el pasillo. La pierdo unos segundos en el ángulo de noventa grados que lleva a las habitaciones y la cocina.

–Vamos, hija. El café está recién hecho y he comprado las pastas que te gustan.

No recuerdo a qué pastas se refiere. La sigo hacia la cocina. Todas las puertas de las habitaciones están cerradas. Me pregunto cómo estará mi habitación, la que en su día fue de Kepa y antes de Aníbal. La alfombra del pasillo está cedida y doy un pequeño traspié en uno de sus pliegues.

–Cuidado, hija. No sé qué hacer con esta alfombra. Un día me voy a partir la cabeza.

Entramos en la cocina. Está limpia, pero el color de los armarios ha adquirido un grado más en su camino del blanco brillante al amarillo sucio. Un par de puertas cuelgan algo desniveladas, lo suficiente para señalar un pequeño grado de abandono. Se ha roto alguna baldosa más en el suelo. Mi madre parece entender que estoy valorando los estragos del tiempo en la casa. Tal vez en ella.

–Ya ves, dice.

Me siento. Coge la cafetera y un pequeña jarra de leche caliente. Ha sacado las tazas buenas de porcelana. Me empieza a servir el café. Le tiembla la mano levemente.

–No me pongas leche, ama.

–¿Lo tomas solo?

–Sí, solo.

Se sienta ella también. Sorbemos el café en silencio. Las pastas me parecen las típicas pastas de té de toda la vida. Sigo sin acordarme de que me gustaran. La miro por encima de la taza.

–Te veo bien, ama.

Me sonríe. Apoya la taza en el plato. Con su mano derecha amaga un leve acercamiento, pero la retira y vuelve a coger la taza. Sopla y sorbe.

–Gracias, hija. Me encuentro bien. Voy todas las mañanas a andar y varios días a la semana...

A gimnasia; habla del recorrido de tiendas que hace todas las mañanas para los recados, el paseo con sus amigas de gimnasia por las tardes, el cine, el teatro... habla, habla y habla, y hago que la escucho. Me concentro en la pequeña cicatriz que tiene en la frente. Una cicatriz que acaba de cumplir diecisiete años. Deja de hablar. Parece darse cuenta de que no le estoy haciendo demasiado caso. Me escudriña. Duda. Al final pregunta con una cara de preocupación que me hace consciente de mi mal aspecto.

–¿Y tú, cómo estás?

–Acostumbrándome a la nueva realidad, le digo intentando una sonrisa.

–¿Has encontrado ya un sitio donde vivir?

–Sí, he alquilado una buhardilla en Portugalete. Esta semana llegan mis cosas.

–Qué pena haber vendido el piso de tu abuela. De haberlo sabido...

Y me cuenta cómo vendió el piso, después de que la abuela muriera, lo difícil que fue vaciarlo, pero lo bien que le vino el dinero para estar más tranquila estos últimos años. Hace una pausa, igual esperando que le pregunte si aita le manda dinero o no, si sabe algo de él, si está vivo o muerto. Si...

–Está bien, ama, me gusta mucho la idea de vivir en Portugalete.

–¿Te traes muchos muebles?

–No, pocos. Son libros sobre todo.

–Estás muy delgada.

–Ya...

–La última vez estabas más bien gordita. Estos cambios de peso no pueden ser buenos.

–Estoy bien, ama.

Necesito cambiar de tema. Desviar el foco de nuevo, que siga hablando de ella o de cualquier cosa.

–¿Qué tal Kepa?

–Pues ahí... Debe estar pasando una mala racha, me dijo Nerea. ¿Vas a ir a verle, hija?

–No sé.

–Pues yo quiero ir pronto, pero es un viaje tan largo... cada vez me cuesta más. Ahora que estás aquí podríamos ir juntas.

–No sé, ama. Ya veré.

Hace amago de insistir, pero en vez toma otro sorbo del café.

–Sólo le quedan cinco años, siete como mucho. Eso se pasa volando.

Me encojo de hombros. Miro la taza vacía.

–Bueno, ama, gracias por el café. Me voy, que tengo que hacer mil cosas.

–¿Tan pronto? No te has comido las pastas.

–Vuelvo otro día.

Me levanto. Le doy un beso en la mejilla y salgo de la cocina. No me sigue hasta la entrada y lo agradezco. Paso por delante de mi habitación. Me detengo sólo unos segundos. Sigo andando. Me vuelvo a tropezar con la alfombra.

***

Me gusta esta buhardilla. Si asomo la cabeza hacia la izquierda, veo un poquito el Puente Colgante y el principio del abra. Cuarenta y siete metros cuadrados con una cocina minúscula, una salita en la que apenas caben un sofá y un escritorio, un cuarto en el que la cama de matrimonio lo ocupa todo, y un baño con ducha y sin bidé. La claraboya de la salita deja entrar muchísima luz y puedo abrirla para ventilar el espacio. No sé cómo será el invierno, pero este verano me da la sensación de que voy a estar bien aquí. Podré centrarme, empezar la novela, salir a correr al aire libre, incluso tal vez pueda reconectar con éstas, aunque me horroriza la idea de verlas a todas con críos, hablando de pañales y potitos y guarderías y colegios. Y ver a mi madre de vez en cuando. Muy de vez en cuando. Qué pereza.

Con treinta y cinco años y vuelvo a vivir en una buhardilla. La de Lavapiés era incluso más pequeña que ésta, con «cocina americana», ese piso que en América sería un armario ropero. Ni se le podía llamar cocina: un fogón de dos placas, un minibar como nevera y una pequeña encimera en la que apenas cabía el cacharro para escurrir los platos. Sin horno, sin microondas. Los inviernos eran heladores, se colaba el viento por las ventanas y otros resquicios invisibles, provocando corrientes y ese silbido estremecedor que al principio me hacía imaginar todo tipo de horrores. Los veranos eran asfixiantes. Estaba mejor trabajando en el bar que en casa. Por lo menos ahí teníamos los ventiladores en el techo, los ventanales que abríamos de par en par. Así me gané al jefe durante mi primer verano, alargando los turnos hasta las tantas de la madrugada para poder llegar a la buhardilla y caer rendida en la cama, sin importarme el calor. Y a pesar de todo, era mi buhardilla. Fue allí donde aprendí a vivir sola, a luchar contra mis miedos. Y a matar cucarachas. No con la zapatilla ni a escobazos. Qué asco. Se me revuelve el estómago con sólo imaginar el ruido al aplastarlas –¡chof!– y esas tripas lechosas reventadas. Menos mal que inventaron las trampas. Al principio había tantas y eran tan gordas que oía cómo arrastraban las cajitas al entrar en ellas. Se supone que se comían el veneno y con la misma se iban a su casa a morir, no sin antes contagiar a todas las demás. Me gasté casi el sueldo entero de la primera semana de trabajo en cajas que distribuí por la buhardilla, los cinco pisos de escaleras y el portal. Debí provocar un genocidio. Por lo pronto no he visto ninguna aquí, pero por si acaso ya he comprado una caja de trampas.

En algún momento tendré que decorar: comprar una esterilla para la entrada, alguna vela aromática, un florero, una lámpara de pie para poder leer en el sofá. Le pediré permiso al casero para poner una estantería en la pared que queda libre. Si no, no sé dónde voy a colocar mis libros. Me incomoda esa pared desnuda y blanca y no soporto ver todas las cajas de libros esperando a desembalarse. No tengo ningún cuadro, ninguna foto que me traiga buenos recuerdos. Aquí iría de maravilla mi colección de animalitos muertos. Qué rabia haberlos perdido. No me importó que se quedara con todos los muebles, la cama, el coche, mis ahorros, la vajilla y las sábanas, las toallas y los toalleros, las pocas joyas que me regaló durante los nueve años que estuvimos juntos, los cuadros que compramos en el viaje a Nueva York. Pero que se quedara con las fotos de mis animalitos muertos, eso sí que me duele. Me duele ahora. En el momento sólo quería que todo acabara lo más rápido posible. A saber qué ha hecho con ellas. Las habrá vendido en internet. Nunca las quiso colgar. Decía que le daban repelús, que eran morbosas, que reflejaban mi carácter retorcido y siniestro. Le tenía que haber dejado la primera vez que me lo dijo.

Es jueves. Bajo a la placita del quiosco de la música y encuentro a las aldeanas con los puestos montados, luciendo las verduras y frutas de sus huertas. El sol empieza a calentar con fuerza, pero de la ría todavía sube una brisa fresca. Respiro profundamente. La ría ya no huele. Me apoyo en la barandilla y veo un cormorán pescando. Recuerdo cuando la ría olía tan mal que había que contener la respiración al pasear por su lado, sobre todo si había marea baja. El olor era una combinación imposible de mierda, fango, metal y azufre, y en la superficie flotaban todo tipo de desechos. El agua no parecía agua, sino una masa fangosa entre el gris y el marrón. Recuerdo una historia que no sé si será verdad: un tipo se subió al puente y se tiró haciendo el salto del ángel en plan exhibicionista; su cabeza quedó encallada en el fango y no lo pudieron salvar. Será leyenda urbana, pero me parece verosímil. Alguien me toca un hombro suavemente. Me giro. Un chico con dos pendientes de aro, el pelo cortado a hachazo con unas cuantas rastas colgando en la parte inferior, y camiseta a rayas rojas y azules, me sonríe. Está acompañado por dos chicos de aspecto similar. Esta gente no ha evolucionado nada.

–Barkatu, ¿nos dejas un poco sitio?

Miro a los dos lados y no entiendo qué sitio necesita ni por qué me tendría que mover.

–¿Dónde quieres que me vaya?

–No... es que... necesitamos atar esta pancarta y es muy larga y no podemos hacerlo contigo aquí apoyada. Perdona.

Me lo dice con una sonrisa perfecta. Me doy cuenta de que, a pesar de las pintas que lleva, es muy guapo: ojos verdes, mentón marcado, labios carnosos, nariz recta y prominente.

–Ah, sí claro, no entendía...

No sé qué más decir y de repente me siento ridícula, pensando en lo bueno que está este tío al que posiblemente le llevo quince años. Me alejo deprisa del pequeño grupo y me dirijo a los puestos de las aldeanas. Desde ahí, mientras calibro el género de cada una, observo sus movimientos rápidos: cómo despliegan la pancarta, la tensan según la van atando a la barandilla, la enderezan ahí donde parece que está más torcida. Algunos viejos que pasean despacio se les quedan mirando con mala cara, pero la mayoría de la gente pasa de largo sin prestarles atención. La pancarta está desplegada: Euskal Presoak Euskal Herrira! El símbolo de Etxera con el mapa de Euskal Herria y las flechas del deseado retorno. Al lado del mapa, escrita con letra bastante pequeña, una lista de unos diez nombres, supongo que de detenidos de ETA de la margen izquierda o Vizcaya. Dudo que sólo de Portugalete haya tantos, pero quién sabe. No voy a acercarme a leerla. Los tres chicos observan orgullosos la pancarta desde lejos. El guapo se da la vuelta y nuestras miradas se cruzan. Me sonríe. Yo bajo la cabeza y me quedo mirando fijamente la caja de vainas de la aldeana que ya sospecha de mí, parada aquí sin comprar nada.

–¿A cuánto el kilo?, le pregunto.

–Dos euros, guapa.

–Deme uno.

–¿Has visto qué tomates tengo?

–¿Están maduros?
–Para comer hoy mismo.
–Pues póngame dos.
–¿Dos kilos?
–Dos tomates.

Los pesa de mala gana. Me dice el total. No presto atención. Le extiendo un billete de cinco euros; me da la vuelta acompañada de un silencio hosco. A la clienta anterior le ha regalado dos peritas. A mí no me regala nada. Vuelvo a mirar en dirección a la pancarta. Los chicos ya se han ido. Debo sentirme muy sola porque me da pena no volver a ver al guapo. Ahora la gente que pasa por delante de la pancarta mira de reojo. Sigo paseando entre los puestos. Compro un ramito de flores silvestres a otra aldeana, mucho más maja que la de los tomates. No me acerco a ver la lista de nombres. Me voy a la terraza del Akelarre a tomar un café. Igual anda por ahí.

***

Llevo intentando escribir todo el día y no consigo arrancar. Leo los titulares de varios periódicos. El asesinato del inspector de policía Eduardo Puelles está en primera plana. Una bomba lapa. ¿Qué pensará Kepa cuando se entere? ¿Celebrará que sigan matando? Algunos dicen que la cárcel transforma. Hay rumores de que las divisiones internas en el colectivo de presos son cada vez mayores, que va alargándose la lista de los que reconocen el error y se quieren desmarcar de ETA. No sé si Kepa tiene esa capacidad para la duda, la recapacitación, el arrepentimiento. ¿Soportaría Kepa un proceso así? En el fondo nos parecemos: hemos tenido que aprender a reprimir para sobrevivir, cada uno a su manera. Esos días de Madrid, en los que estaba claro que le iban a caer un montón de años de sentencia, no mostró debilidad ni preocupación. Ahí estaba, impertérrito. No era de los que se echaban risas con sus compañeros de comando, pero tampoco demostró ninguna fisura. Los únicos instantes en los que le cambiaba el gesto era cuando me veía entre el público y me sonreía con tristeza.

Pienso en Rocío. Estará en la redacción, acordándose de mí. Voy a ponerle un mensaje, a ver si me cuenta algo más del periódico. Por mí como si se acaban de hundir, pero quiero saber si sigo siendo la única gilipollas a la que han despedido. Seguro. Si no, ya me lo habría contado. Me apetece hablar con ella. La echo de menos. Cojo el teléfono. Llamada perdida de número desconocido. Ha dejado mensaje: «Hola, Amaia. Soy Gema. Me encontré ayer con tu ama y me dijo que habías vuelto. Hijaputa. ¿Cómo no me dices nada? Me tengo que enterar de todo por tu madre. ¡Tu madre! Que no sabía ni dónde tenía apuntado tu teléfono. Como no me llames hoy mismo, voy a Portu y te corto las tetas». Qué bestia, Gema. No cambia. No me apetece llamarla y estar tres horas al teléfono. Le mando un SMS y le digo que me diga lugar y hora. Contesta inmediatamente: A las 20.00 en la peatonal.

No sé qué ponerme. Es una tontería, pero quiero que Gema me vea guapa. Me miro al espejo y me sorprendo otra vez de los estragos de los últimos meses: tengo muchas más arrugas en la comisura de los labios, las patas de gallo se han profundizado, tengo nuevas manchas en la piel, el pelo está mucho más fino, más escaso en la parte del flequillo, me han salido canas que ya no puedo disimular sin tinte, noto los ojos hundidos, a pesar de haber sustituido las gafas por las lentillas. Soy todo dientes, coño. Por lo menos ya no estoy como una foca. Me maquillo un poco los ojos, me pongo los vaqueros negros ajustados y la camiseta con tachuelas. Me calzo las Converse y a la calle. Me daré un paseo antes de llegar a la cita, así me despejo de estar todo el día delante del ordenador. Ni una página. ¿De dónde sacaría yo la idea de que puedo escribir una novela? Lo peor es no tener nada que contar. Muchos escritores dicen que es cuestión de insistir, de ponerse a escribir, dejar que la historia vaya fluyendo. Otros que tienes que tener la novela escrita en la cabeza de principio a fin antes de ponerte a ello. Una mujer encuentra un cadáver en su casa al volver del trabajo; no sabe quién es. No parece que hayan forzado la puerta ni hay señales de violencia en el cuerpo. Llama a la policía. Pronto se descubre que el cadáver que está tendido en el suelo es su marido. Ha muerto envenenado. Ella niega estar casada y conocer al fiambre. Hasta ahí llego. No tengo más. Podría ser una buena novela negra, ¿no? O una solemne estupidez. Pensando todas estas tonterías casi he llegado a la peatonal. Es pronto. Igual me acerco hasta el puerto para hacer tiempo. Mejor no. Seguro que me encuentro con alguien conocido. Sigo caminando en zizzag por varias calles, doy un par de vueltas más. Acabo en la entrada de la peatonal. Miro de lejos y veo, entre la gente tomando potes, a Gema. Horror. Ha venido con su hija y un niño más pequeño. Qué coñazo. Gema me ve y saluda con la mano desde lejos. Le dice algo a los niños y veo que vienen corriendo hacia mí. Pero ¿por qué corren? La mayor adelanta al pequeño, que la sigue como puede. Llega a mi altura y se para en seco frente a mí.

–Kaixo, ¿tú eres Amaia?

–Sí, ¿no te acuerdas de mí?

–No.

–¿Y por qué vienes corriendo a saludarme?

–Porque ama me ha dicho que nos vas a llevar a comprar chuches.

–¡Sí, sí, chuches!

El pequeño ya está aquí. A éste no le conozco. Llega también Gema, partiéndose de risa y me da un abrazo que me deja sin aire.

–Tenías que verte la cara, tía, es como si una horda de trols se hubiera abalanzado sobre ti. Pensaba que ibas a salir corriendo.

–Pues casi.

–¿Nos llevas a comprar chuches?, me dice el enano.

Miro a Gema supongo que con cara de susto. Se vuelve a reír. Abre su enorme bolso, saca la cartera y le da un euro a cada uno.

–Hala, id vosotros solitos. June, que Garikoitz no vuelva a armarla en la tienda, ¿eh?

June coge de la mano al pequeño y se alejan, sin ni siquiera mirarme.

–Tía, pero ¡qué guapa estás! ¿Cuánto has adelgazado? ¿Veinte kilos? ¿Y cómo es que estás aquí? ¿Cuándo has vuelto? ¿Y te quedas? Joder, Amaia, te debería dar vergüenza...

–A ver, respira, vamos a tomarnos un vinito y te voy contando.

Gema me da otro achuchón y entramos al primer bar de la peatonal. Pedimos dos vinos, pago peleándome con ella, y volvemos a salir. Nos sentamos en la terraza.

–Qué bien se está aquí. Qué fresquito. En Madrid teníamos un calor brutal.

–Guapa, no me hables del tiempo, que sólo tengo una hora y me tienes que poner al día.

–¿Te doy los titulares?

–Venga, empezamos por ahí.

–Me he divorciado de Luis, me han echado del periódico, y he dejado Madrid.

–Hostia. ¿Cuándo ha pasado todo esto?

–Venía de largo, pero el derrumbe empezó en febrero. Cumplí treinta y cinco y se fue todo a tomar por culo.

–Joder, Amaia, ya lo siento... Buf, ¿cómo ha pasado?

–Dame primero tus titulares, anda.

–No tengo. Sigo trabajando donde siempre, Jokin sigue siendo el mismo cenutrio que conoces, y mis dos hijos me vuelven loca, pero les adoro. A los tres.

–¿Qué edad tiene...? Coño, se me ha olvidado, con esos nombres...

–Garikoitz. Hija, ideas de Jokin. Tiene cinco.

–Ya...
–Sabías que había tenido un segundo, ¿no?
–Pues es que sólo me acordaba de June, del funeral de mi abuela.
–Claro, ni te acordarás, pero te conté que había tenido a Gari, que tenía un par de añitos y era demasiado chiquitín y demasiado trasto para llevarle... ¿no te acuerdas?
–No, perdona...
–Y claro, como después desapareces como el Guadiana. Ya te vale, Amaia. Y encima has estado fatal, ¿no? Porque antes te he dicho que estás guapa, pero tienes una facha más mala...
Nos quedamos calladas y tomamos las dos un trago de vino.
–Y bueno, con los dos críos ya no harás tantos viajes de empresa, ¿no?
–Sí, sigo viajando lo mismo, pero no me quiero quejar. Que no están las cosas... bueno, a ti te lo voy a decir. ¿Y cómo has quedado? ¿Te indemnizaron bien?
–Pues sí, como llevaba tantos años en plantilla me tuvieron que dar una pasta.
–O sea, que de momento tienes para vivir.
Gema apenas ha cambiado. Está más gordita y tiene un poco aspecto de señora, igual también porque lleva el traje de chaqueta del trabajo. Pero tiene la misma risa franca, los ojos vivos y curiosos, la misma honestidad sin filtros, la facilidad con la que demuestra su cariño.
–¿Y el bicho raro ese...? Lo habrás pasado de puta pena, pero me alegro de que ya no estés con él.
–¿A ti también te caía mal? Joder, me divorcio y me entero de que es el tipo más odiado del planeta.
–Bueno, le he visto dos veces en la vida, pero le tengo una tirria... Todo el rato con cara vinagre, joder.
–Qué gracia, eso le llama Rocío, cara vinagre y cara acelga.
–Oye, ¿a ella también la han despedido?

–No, ella sigue en política y de momento ahí están bien. Ya sabes, da más que la cultura.

–Obvio. Y ella también pensaba que Luis era un rancio, claro.

Me encojo de hombros. No me apetece hablar de Luis.

–Si quieres me cuentas otro día, pero de verdad que me alegro. Porque desde que le conociste...

–Ya, ya lo sé. Tienes razón, era un bicho raro y un mal bicho, pero ya está. Se acabó.

–¿Y ha sido chungo el divorcio?

–Sí, me ha dejado con el culo al aire. Hice todo muy mal.

–Qué cabrón.

–Pero no importa. Yo quería un divorcio rápido, quitármelo de encima y pasar página.

–Por lo menos no le tienes que volver a ver, ¿no? Es lo bueno de no tener hijos. Divorcio limpio.

–Eso fue en lo único que no cedí. Y menos mal.

–Siempre lo tuviste muy claro.

–Sí, y tú. Te recuerdo como un retaco diciendo que querías ser madre cuando fueras mayor.

–Y yo te recuerdo a ti diciendo que no.

Nos reímos. Le aprieto una mano y me levanto a pedir dos vinos más.

–¿Dónde vas?

–Otro vinito, ¿no?

–Huy, que yo me mamo enseguida y tengo que dar de cenar a esos monstruos... Pero sí, qué cojones, que se la dé Jokin.

Entro en el bar y desde la barra veo que se le acercan June y Garikoitz. Ella les hace gestos de que se vayan. Los niños se ríen y parece que le toman el pelo. Ella se ríe con ellos y gesticula más. Se van. Salgo con los vinos. No me apetece seguir hablando de mí. Le pregunto por Patricia, por el resto de la cuadrilla. Coge carrerilla. Todas conservan sus trabajos y sus matrimonios, lo cual no significa que les guste ni una cosa ni la otra. Siguen muy unidas, parece. Tienen niños de más o menos las mismas edades. Se ven todos los fines de semana, se van de vacaciones juntas. De vez en cuando aparcan los niños con los maridos y salen de cena. Me propone que hagamos una. Acepto. Sigue contándome historias del pueblo. Nombres que no recuerdo o que no me importan. Pero es una buena narradora, da los detalles justos, sabe mantener una buena tensión entre el dramatismo y el humor. Se lo digo. Se ríe. Se pone seria y me pregunta si sé algo de Bego. O de Iker. No. ¿Qué iba a saber? Su madre ha muerto. Un cáncer. El año pasado. Me da un vuelco el estómago. Le extraña que no lo sepa, que mi madre no me lo haya contado. Qué me va a contar mi madre. Voy a beber otro trago. La copa vacía. La última vez que vi a Águeda fue hace un montón de años, en una de mis visitas fugaces, igual cuando a la abuela le dio la primera embolia. Me hice la loca, como si no la hubiera visto. Con lo que yo quería a esa mujer. Gema por fin se calla. Consulta su reloj y busca con la mirada a los niños.

–Cari, me tengo que ir, que si no mañana no hay dios que levante a estos dos. Pero nos vemos pronto y te prometo que con más tiempo.

–Sí, no te preocupes, cualquier día.

Se levanta de la silla. Se agacha y me da dos besos.

–Agur, bonita. Gracias por los vinos. A la cena te invito yo, que estás desempleada.

–Agur, Gema.

Hace un gesto de despedida con la mano derecha y empieza a gritar como una sardinera el nombre de sus hijos, que salen inmediatamente de no sé dónde y se plantan en un momento junto a ella. Les da una mano a cada uno y se pierde entre la gente. Entro en el bar. Pido otro vino.

* * *

No me doy cuenta de que es domingo y salgo a correr poco después de las siete de la mañana. Es el segundo grupo de borrachos con el que me cruzo. No voy nada tranquila. Aunque si me quisieran pillar, lo llevarían bastante claro. Voy hasta la acería, hago el muelle, vuelvo, paso por delante de casa, del Puente, sigo hasta el faro. Debería buscar otro recorrido. Cada vez me acuerdo de lo mismo. El hombre en la barandilla mirando. Ese cerdo encima de mí. Todos esos meses tan perdida, con tanta rabia, tan aislada. El hombre en la barandilla. Y ese cerdo encima. Tengo que buscar otro recorrido. O cambiar de margen. Siempre me ha venido bien pasar al otro lado. Además, ahí siempre da el sol, dentro de unas semanas podré incluso bañarme. Pero aquí no, aquí debería dejar de venir. Sobre todo el fin de semana. Todo esto lleno de borrachos. Seguro que ese cerdo sigue viniendo a ver a las parejas. Me doy la vuelta. Mejor volver a la acería o irme corriendo hasta Baracaldo.

* * *

Me preparo para ir a buscar a Rocío a la estación de Abando. Para cuando lleguemos a casa serán pasadas las diez y nos encontraremos con el estruendo de las txoznas y el concierto. No me di cuenta de que su visita coincidiría con las Fiestas de San Roque. No sé si podremos dormir por las noches. Han puesto el escenario de los conciertos a doscientos metros de aquí. ¿Hace cuánto que no salgo de marcha? No lo recuerdo. Posiblemente fue con ella y posiblemente fue antes de conocer a Luis. El sofá es una mierda. No va a poder dormir ahí. Mejor que duerma conmigo en la cama, como cuando vivíamos juntas y nos quedábamos dormidas hablando hasta las tantas de la madrugada. La primera vez nos dio corte despertarnos juntas. Pero luego le cogimos gusto y las mañanas que no teníamos prisa por ir a la uni continuábamos la conversación al despertarnos. En invierno nos levantábamos corriendo, encendíamos la calefacción, preparábamos el café y nos lo llevábamos a la cama hasta que el piso se templaba. Ninguna de las dos traíamos chicos a casa. Yo porque durante toda la carrera no me eché ni un polvo y ella porque prefería ir a casa de ellos, echarlo allá y volver a casa a dormir. A veces me encontraba dormida en su cama, todavía con el libro abierto encima del pecho.

Bajamos del tren en Portugalete y, efectivamente, la explanada hasta casa está llena de gente que se agolpa alrededor de las txoznas. Rocío me mira sonriente y ensaya un pequeño baile de ska con sus alpargatas de cuña que le hacen perder el equilibrio. Intenta decirme algo por encima de la música pero no la oigo. Señalo hacia delante. En pocos minutos llegamos a mi portal.

–No tengo ascensor...

–¿Cuántos?

–Cinco.

–Va, eso está chupao. Llévame el bolso.

Comienza el ascenso, con su maleta y haciendo equilibrios sobre las alpargatas de cuña. Yo la sigo. La oigo resoplar.

–No va a haber cerveza que calme mi sed, amiga.

–¿No estás muy cansada para salir? Las fiestas duran hasta el martes. Podemos bajar mañana.

Se para en el rellano del tercero. Se quita un rizo de la frente con un soplido estruendoso. Me mira muy seria y con la mano en la cintura y voz de macarra me dice:

–Vamos a quemar el pueblo, tía.

Rocío tenía razón. Hemos quemado el pueblo. Qué horror de resaca. Ella sigue roncando como un oso, durmiendo a pierna suelta. Salgo de la cama despacio para no despertarla y me voy a la cocina. Exprimo unas naranjas. Me tomo el zumo con un ibuprofeno. No tengo edad para estas cosas. Enciendo el ordenador y repaso mi correo electrónico. Tengo un mensaje nuevo de un desconocido. Lo abro. «Egun on, Amaia. Anoche lo pasé muy bien contigo. Espero verte hoy por las txoznas de nuevo. Musu. Natxo». Me viene un aluvión de imágenes: Rocío y yo bebiendo y fumando porros con unos niñatos, bailando... ¡el chaval de la pancarta! ¿Le di mi correo electrónico? ¿Será él? No puedo esperar a que se despierte Rocío. Voy a la habitación.

–Rocío, despierta, anda.

Me acerco y la acaricio la cabeza. Se da la vuelta y se cubre con la almohada.

–Por favor, despierta. Tengo que hablar contigo.

Me siento a su lado y la zarandeo un poco. Rocío gruñe, saca la cabeza, y tira la almohada por los aires. Se incorpora en la cama y me mira de muy mala leche. Tiene los ojos hinchados, el maquillaje de los ojos corrido, un rastro de baba en la comisura de los labios que le llega hasta el mentón y los rizos negros pegados a la cabeza.

–Joder, ¿qué mierda de cerveza bebéis en este pueblo? Qué dolor de cabeza, por dios.

–¿Estuvimos ayer con un chico que se llama Natxo?

–Anda, estabas peor que yo. Claro. Está buenísimo.

–Me ha escrito.

–¡No jodas!

–Es el de los ojos verdes, ¿no?

–Sí, ése.

–No me puedo creer que le di mi correo. Pero si es un niñato.

Rocío se ríe, y nada más hacerlo gime y se agarra la cabeza con las dos manos.

–Ay, tengo mil enanitos aquí dentro martilleando... oye, no te pongas tan seria. Deberías estar contenta, que has enamorado a ese bollicao.

–Calla, anda.

–Está bueno de verdad. Eso sí, qué pesadito se puso con tu hermano.

–¿Cómo que con mi hermano?

–¿No te acuerdas? Pues no dio el coñazo el tío que si Kepa Gorostiaga p'aquí, Kepa Gorostiaga p'allá.

–¿Y cómo se enteró de que es mi hermano?

–Pero si se lo dijiste tú. Oye, Amaia, de verdad, no deberías beber.

–Pero si yo nunca...

–Ya, a mí me sorprendió. Toda la vida sonsacándote para que me cuentes algo de tu familia y a este nenuco se lo cuentas nada más conocerle. Claro, con esos ojazos verdes no me extraña. ¿Qué te ha escrito? ¿Es una carta de amor?

–No, chorra, sólo que se lo pasó muy bien y que espera verme hoy.

–¿Y?

–¿Cómo que y? Que paso de verle.

–No seas tonta, mujer, date una alegría al cuerpo. Otro como éste no pillas fácilmente... Vamos, porque estoy con Chema, que es un bendito, que si no me lo comía entero yo misma.

Me levanto de la cama. Voy a la cocina y empiezo a hacer el café. Oigo que Rocío se levanta renqueando. Entra y me abraza por detrás. Huele fatal. Seguro que yo también.

–No te me cabrees, anda. Sólo te estoy tomando el pelo. Pero hija, podrías relajarte un poco. Échate un buen polvo con el niñato y ya está. No hace falta que te metas a la kale borroka después.

Me da un beso en el cogote y se va al baño.

Me siento ridícula con sólo pensarlo. Vuelvo al ordenador, borro el mensaje y vacío la papelera. Rocío ha salido del baño y me ve. No insiste.

Vamos hasta el Puerto Viejo andando. A Rocío le encanta todo lo que está viendo estos días, incluso los vestigios industriales. A mí me da pena que estén desapareciendo, que la margen izquierda esté convirtiéndose en versión edulcorada de lo que fue, con la paradoja de que ahora las desigualdades sociales son aún más graves. Los desarrapados de hoy son los inmigrantes africanos y latinoamericanos, y ésos no se manifiestan ni hacen huelgas. Se les ve bajándose en las estaciones de Zorroza y Sestao, con sus fardos y sus hatillos. Supongo que vivirán hacinados en las mismas casas oscuras y angostas en las que lo hicieron los obreros de las fábricas de la zona hace cuarenta años. Pero hoy toca ver, desde el paseo de las Arenas a Algorta, los palacetes de los ricos de antes y de ahora. Ahí no ha habido tantos cambios, más o menos siguen siendo los mismos. Rocío parlotea entusiasmada sobre todo lo que ve. Me dice que va a acampar en la buhardilla, que no vuelve a Madrid hasta que se acabe el verano. Le digo que el pobre Chema se moriría de tristeza y que yo tengo que empezar a ganarme las lentejas. Le cuento mis problemas con la novela.

–Es que ese argumento es una mierda, Amaia. ¿Cuándo me vas a hacer caso? Déjate de novelitas y escribe esa crónica de una puta vez.

–No quiero escribir sobre el rollo vasco, ¿vale?

–Con tu familia tienes un filón. Y te vendría muy bien para superar todas esas neuras que tienes.

–Yo no tengo neuras.

–Joder... ¿te hago un listado?

–Pero ¿tú te das cuenta de lo que estás diciendo? No puedo escribir sobre mi familia. Del único que podría hacerlo es de Aníbal.

–¿Porque está muerto? Pues tu padre como si lo estuviera. ¿Cuántos años hace que desapareció? Y qué más da. ¿Qué te va a pasar? Por lo menos inténtalo. No pienses que es para publicar, sólo escribe.

–Que no me da la gana, déjalo ya.

–Pues no escribas de tu familia, pero escribe sobre lo que has visto aquí, lo que has vivido...

–Si te interesa tanto, hazlo tú. Hala, te regalo mi historia.

–No funciona así. Haz lo que quieras, pero la novela del marido muerto va a ser una mierda, si consigues escribirla.

Tiene razón. No me puedo enfadar con ella.

–Escribe por lo menos de Carlos. Te dio su permiso, ¿no?

–Qué pesada eres. ¿Por qué no contemplamos el paisaje en silencio?

Rocío se encoge de hombros y murmura algo que no alcanzo a oír. A veces pienso que sabe demasiadas cosas sobre mí.

***

–Te lo digo, hija, porque ya llevas tres meses aquí. Podrías haber ido conmigo a visitarle el mes pasado.

–He estado muy ocupada, ama.

–Si no trabajas.

–Sí trabajo. Estoy escribiendo. Te lo he dicho mil veces.

Se levanta de la mesa para sacar el chicharro del horno.

–¿Te ayudo?

–Haz sitio en la mesa para la fuente.

Apoya el chicharro. Me tiende los cubiertos para que lo limpie y lo sirva.

–¿Te acuerdas de cómo hacerlo?

Hay cosas que no se olvidan. Por desgracia. Esta casa está llena de recuerdos. Todos malos.

–Si quieres verme, ama, también puedes venir tú a mi casa.

–Es que cada vez que llamo parece que molesto.

Y es verdad. Me molesta. Aunque no esté haciendo nada, que es lo que he estado haciendo estos tres meses: nada. También es verdad que sólo la he invitado a ir a casa un día, después de la visita de Rocío. Nos sentamos en el sofá del salón a tomar un café y estuvimos hablando de tonterías media hora. No me preguntó nada, ni por mi ex marido ni por mi ex trabajo. Sólo cuándo iba ir a ver a Kepa. No lo sé, ama, le dije. Como siempre.

Quito la espina central del chicharro, separo la cabeza, y lo divido en dos.

–Ponte tú más, hija, que la mitad es mucho para mí.

Le pongo el lomo más tierno y me sirvo yo el resto. Comenzamos a comer en silencio. Está delicioso.

–Amaia, te tengo que contar algo.

* * *

Estoy a dos kilómetros de casa y sin embargo es como si estuviera a miles. En tres semanas no he pisado el pueblo, no he llamado a nadie ni contestado al teléfono. Pero estoy escribiendo. Ahora sí, estoy escribiendo de verdad.

Lo único que soy capaz de controlar es el mundo detrás de esta pantalla. No es que lo entienda, pero puedo transformarlo a mi antojo: lo hago crecer según se despiertan algunas memorias, lo cerceno si lo que surge después de unas horas de escritura me desagrada, doy cuerpo a intuiciones que me llevan acechando años. A veces la oscuridad se vuelve insoportable y lo tengo que dejar, pero según bajo la pantalla del portátil sé que el monstruo queda ahí, contenido, controlado. Y con un botón lo puedo hacer desaparecer. Aunque luego resucite. Aquí afuera es mucho más difícil, la realidad se me escapa.

No he vuelto a casa de mi madre desde el día que anunció que mi padre regresa, después de quién sabe cuántos años. ¿Diez, quince? No ha dejado de comunicarse con él en todo este tiempo y no ha dejado de recibir su dinero. Nunca entenderé el pacto entre ellos, la necesidad de mi madre por mantener el vínculo, la presencia de mi padre en su vida a pesar del maltrato, el abandono, la ausencia. Lo de mi madre no puede ser sólo por dinero, tiene que haber algo más; y lo de mi padre tampoco puede ser sólo por mantener el control sobre ella. Rebusco en mis recuerdos y emergen escenas que parecen falsas: los dos sonrientes y cómplices cuando me oyen contar a la abuela, con cinco añitos, que han estado los Reyes Magos en casa; ellos dos cogidos de la mano paseando por una playa en Biarritz; mi padre llamándola leona y acariciando su melena roja alborotada; recuerdo las historias de juventud que me contó mi madre, cuando estaban enamorados y mi padre la hacía reír con sus trastadas. Sí, esas memorias están ahí, pero ¿de qué me sirven? Son estampas vacías, en dos dimensiones. Cuando quiero profundizar en ellas, desarrollarlas, se desvanecen, e irremediablemente sólo vuelve a surgir él. Con toda su violencia. Me lo imagino conspirando con unos y con otros, me lo imagino en todos los pozos fangosos donde se ha metido, viviendo en la mierda y salpicando a todos con ella, me lo imagino haciendo daño. Siempre haciendo daño. Y a ella me la imagino sufriéndolo, siempre sufriéndolo. Fueron otros, sí, seguro que no todo fue así. Y sin embargo.

* * *

Amadeo se ha levantado temprano porque le espera un largo viaje. Lleva varios días helando y jarreando. Esta mañana no es diferente. Supone que las carreteras estarán en algunos tramos congeladas y el tráfico denso en dirección a la frontera, sobre todo en las afueras de Bilbao por las que inevitablemente tiene que pasar. Le gustaría cancelar el viaje, pero no tiene manera de contactar a Josu para avisarle. Elvira se levanta con él para hacerle el café y prepararle las sopas. Apenas se dirigen un par de gruñidos cuando se encuentran en la amplia cocina, iluminada por la luz fluorescente. Amadeo reza para que ninguno de sus hijos se despierte. Teme con la misma intensidad el parloteo del mayor como los berridos de la pequeña. Elvira contempla su aspecto desaseado y se pregunta adónde irá tan temprano si no es ni al bufete –no se ha puesto el traje– ni a cazar –no lleva los pantalones verdes de pana–, pero está demasiado cansada como para formular la pregunta en voz alta y lidiar con una posible respuesta desagradable. Amadeo engulle el desayuno, sorbiendo las sopas de pan y el café caliente, sin levantar la cabeza ni una sola vez para mirar a Elvira, que lo observa de pie, algo asqueada. Antes de salir, Amadeo asoma la cabeza por la ventana y ve el puerto todavía iluminado por los farolillos que alumbran la estatua de la virgen; el frío le corta la piel y una lagrimilla le cae por la mejilla derecha. Él no lo sabe, pero es la mañana más fría desde que empezó el invierno. Se pone su pelliza más gruesa, se despide de Elvira con un breve beso en la mejilla, y cierra la puerta de un golpe. El portazo despierta a Amaia, que se pone a llorar. Elvira arrastra los pies por el largo pasillo mientras se dispone a sacar un pecho para amamantar a la pequeña. Así transcurrirá su día. Amadeo camina ligero unos metros y ya está al pie de su recién estrenado Mercedes. Tiembla de frío y maldice al ayuntamiento mientras mete la llave en la puerta. ¿Cuándo construirán ese puto garaje? Le preocupa dejar esa joya en la calle, con su carrocería color hueso impecable que cualquier desaprensivo puede rozar, abollar, rascar. Es el nuevo modelo, recién salido de fábrica. Se lo acaban de entregar en el único concesionario de Bilbao que vende coches extranjeros de lujo. El primer Mercedes del pueblo. El suyo. Pone la calefacción a tope, enciende la radio y se dispone a disfrutar del viaje, a pesar de la lluvia. Son buenas condiciones para probar el coche. Si no encuentra otra vez obras en la carretera nacional y no le paran en la frontera, igual consigue llegar a Biarritz a media mañana. En el concesionario le han dicho que tiene que rodar el coche poco a poco y ésa es su intención, pero no puede vencer la tentación de ponerlo casi a doscientos por hora después de pasar Bilbao, en un par de tramos en los que ha querido adelantar camiones. Qué maravilla de motor, cómo ruge, qué potencia. Llega a Irún en poco más de dos horas, tiempo récord teniendo en cuenta el tráfico de camiones y la tupida lluvia, que le han hecho desacelerar constantemente. La fila de coches es relativamente corta en la muga. Parece que los agentes están vagos hoy y que la lluvia y el frío no les invitan a salir de la garita, así que apenas detienen un par de segundos a cada coche. Amadeo no está nervioso. No tiene nada que ocultar. Cuando para y enseña su pasaporte a través de la ventanilla, el policía ni siquiera le mira a la cara ni le hace la pregunta de rigor «¿a qué va usted a Francia?». La respuesta es siempre «a dar un paseo», que se hace mucho más creíble cuando viaja con Elvira y los dos hijos que ese día reciban en el sorteo familiar el privilegio de ir a Francia y no quedarse con la abuela. Cada mes, la noche del sorteo es una fiesta. Incluso la bebé de meses y el pequeño, de apenas tres años, entran en él. Amadeo mete en un viejo sombrero de caza cuatro papeles con el nombre de los cuatro niños. Elvira, divertida, se tapa los ojos con un pañuelo y comienza a extraer nombres. Los dos primeros irán de excursión con ellos. Los otros dos, pasarán el día con la abuela en su pequeño y oscuro piso de viuda. A la madre de Elvira el método le parece ridículo e irresponsable –como casi todo lo que hace Amadeo– y siempre critica el resultado: que si quedarse con los mayores es demasiado trabajo porque la vuelven loca y son ya unos gamberros o si quedarse con los pequeños es demasiada responsabilidad.

Pisa el acelerador nada más alejarse unos metros de la frontera y llega a Biarritz en menos de una hora. Es temprano y busca una cafetería donde tomarse un café y uno de esos bollos de mantequilla franceses que tanto le gustan. Antes de bajarse del coche, no se olvida de sacar de su escondite el mapa local para darle un repaso. Han sido tantas las residencias de Josu desde que huyó a Francia que harto de perderse y no poder preguntar direcciones por miedo a levantar sospechas se acabó comprando, además del mapa general de la zona, un mapa de cada ciudad donde tienen la mayoría de sus refugios –Bayona, San Juan de Luz y Biarritz– que esconde en una bolsa pegada a la bajera del asiento del copiloto, por si algún día le hacen un registro en la frontera. La casa está relativamente cerca, pasado el faro del norte. Acostumbrado al abigarramiento de la margen izquierda, a la suciedad que invade cada edificio, al olor nauseabundo del Nervión, al gris constante que no se sabe si se debe a la polución o la climatología, Amadeo tiene una sensación extraña cuando visita a su primo. La tranquilidad de esos pueblos, el equilibrio de su arquitectura, el respeto por un urbanismo elegante y al mismo tiempo tradicional, la limpieza de las calles, las playas y el aire, la luz diáfana incluso cuando llueve, todo provoca en Amadeo la sensación de estar en un decorado, de ser todo demasiado perfecto y por tanto falso.

Amadeo encuentra fácilmente la casa de Josu y, siguiendo sus instrucciones, aparca el coche en una de las calles paralelas, a dos o tres manzanas de la suya. Es un barrio tranquilo en el que apenas hay coches, salpicado de casas individuales –algunos viejos caserones, otros chalets de nueva construcción que más parecen casas de veraneo que viviendas permanentes–. Josu abre la puerta casi antes de que Amadeo toque el timbre y da un abrazo a su primo, que enseguida entra y empieza a husmear a su alrededor. La casa está en completo silencio; no se oyen voces masculinas como en otras ocasiones ni ve a ninguno de los compañeros barbudos que rodean normalmente a Josu como si fueran parte de su ecosistema. Un estrecho pasillo lleva a una sala decorada mínimamente con viejos y pesados muebles de madera oscura, un sofá de cuero y dos sillones de lectura; en las paredes un *Guernica* y varios carteles con fotografías de presos vascos bajo el lema Askatu! Una puerta de cristal abre paso a un jardín bien cuidado en el que Amadeo puede imaginar tomates, pimientos y lechugas en verano. A lo lejos, se ve el mar encabritado. Amadeo se repantinga cómodo en uno de los sillones, acariciando el cuero con suavidad. Josu no da ningún rodeo para proponerle que colabore como intermediario entre los empresarios que pagan el impuesto revolucionario y la organización a cambio de un tanto por ciento. Amadeo acepta.

***

Enciendo la conexión de internet para escribir a Rocío. Voy directamente a la función de redactar. No quiero ver ninguno de los mensajes recibidos. No son tantos, veintidós. Necesito contarle lo que está pasando, que estoy haciendo caso de su consejo, justo en el momento en el que él va a regresar. Durante estos años que él sólo era idea y recuerdo me he negado a hacerlo. No tengo más remedio que pensar que igual necesitaba saber que vuelve, que es todavía un ser de carne y hueso, para que toda esa basura que dejó dentro de mí, esos fantasmas descompuestos, tomen forma y salgan de aquí dentro. Igual necesitaba volver a sentir la amenaza de su presencia, el miedo de volverle a ver, el miedo a sentir algo más ¿o menos?, que odio hacia él, para refugiarme en este otro mundo en el que las cosas se concretan, adquieren sentido aunque sea mentira, en el que se puede, en una página o dos o tres, rellenar la nada. Aunque no sé si esto, si este cuarto oscuro, es realmente un refugio.

* * *

Carlos se despierta con el segundo timbrazo del teléfono. Tiene el sueño ligero; apenas necesita dormir más de cinco horas. Por eso durante el servicio militar siempre se prestaba voluntario a hacer guardias; así se ganó el favor de sus superiores y la fama de estoico entre sus compañeros; por eso, y porque jamás se emborrachaba cuando les dejaban salir de permiso por la ciudad, ni se iba de putas. El reloj marca las tres de la madrugada. Responde el teléfono sabiendo quién va a estar al otro lado. «Amadeo Gorostiaga está en Intxaurrondo.» Carlos no se sorprende –él mismo les filtró la información de dónde encontrarlo–, tampoco siente la necesidad de tomar medidas. Cuelga el teléfono tras el «enterado» y se tumba boca arriba en su cama de soltero. Todavía quedan un par de horas para su carrera matutina por las calles desiertas de Bilbao. Piensa en Amadeo. Es capaz de imaginar claramente la situación en la que se encuentra. Ha estado presente en escenarios similares, aprendiendo las técnicas que todavía no ha puesto en práctica pero que conoce perfectamente. Sabe que estará en una de las habitaciones del sótano, su cuerpo gordo y blanco desnudo colgado por las muñecas; supone que lo habrán ablandado primero con unos cuantos golpes y que después elegirán alguna de las técnicas regulares: bañera, bolsa en la cabeza o, si están animados o si El Gaucho anda por ahí, incluso algún electrodo. No cree que usen más de una, que se excedan; al fin y al cabo, no quieren destrozarlo, sólo ablandarlo un poco para que se preste a colaborar, dejar claro quién tiene la sartén por el mango. No les interesa en absoluto la información que les pueda dar; saben perfectamente que no tiene conocimiento alguno sobre un secuestrado que ni siquiera existe. Se lo imagina lloriqueando o gritando como un cerdo, humillándose para que lo suelten, abandonándose al pánico cada vez que el dolor se intensifica. Habrá dicho ya su nombre, les habrá jurado que son amigos, que Carlos participa en sus negocios, pero no le preocupa. Con los de Intxaurrondo tiene un pacto de caballeros y una inversión a futuros. Logró convencerles de que Amadeo era la persona ideal para el trabajo por venir. Sin embargo, primero, necesitaban quemarlo, romper sus vínculos con los del otro lado y comprobar dónde estaban sus lealtades, si es que tenía alguna. Carlos sabe que ni la fidelidad ni la lealtad constan como virtudes en Amadeo. Los del otro lado también le conocen y habrán oído ya que ha pasado la noche en Intxaurrondo. A partir de esa noche Amadeo se ha convertido en un traidor, no sólo a la causa, también a su primo.

***

–¿Lo intentaste por lo menos? Les dije que te llamaran. ¿Te llamaron?

–Sólo para informarme. No había nada que hacer. Yo no podía intervenir. Y baja la voz, Amadeo, éste no es lugar para discutir el tema.

–No me toques los cojones. ¿Por qué no podías intervenir? Si después de casi matarme me dicen que sabían todo lo mío. Y no les sorprendió cuando dije que tú estabas enterado... porque se lo dije, claro que se lo dije. ¿Y? ¿No te importa? ¿Te quedas callado como una puta? Manda huevos, que no había nada que hacer. Pero ¿tú me ves? ¡Llevo en este puto hospital tres días! ¿Ves cómo me han dejado? ¿Y para qué? ¿Qué necesidad había? Y ahora, ¿con qué cara me presento yo donde mi primo?

–Te veo, Amadeo. Estás realmente hecho una piltrafa, pero era inevitable. Y por favor, baja la voz. ¿No estás demasiado cansado para hablar?

–Mira, no te me pongas chulito ni me digas que me calle que en cuanto salga de esta cama te mato a hostias. ¡Y además os pongo una denuncia a todos! Sí, sí, ríete. No sé qué coño has venido a hacer aquí. Lárgate. Vete a la mierda.

–Amadeo, piensa que algo bueno ha salido de esto. Ya estás limpio, tienes la confianza de nuestros superiores y puedes entrar en el equipo.

–Limpio dice el hijoputa... ¿Y sabes qué te digo yo? Que a la mierda tú y el equipo. ¿Cuándo me has visto a mí trabajar en equipo? Les dije que sí porque no me dejáis otra, pero esto no se me olvida, Carlos. Como hay dios que esto no se me olvida.

–Dale tiempo, Amadeo. Ya verás que en cuanto comiences a ver los beneficios, pasas página. De tu primo, no te preocupes, nos encargamos nosotros. Y de tu negocio con él, tampoco. Eso era una miseria comparado con lo que te espera. Pero ahora a recuperarte. Te vamos a necesitar muy pronto.

Carlos sabe que no olvidará la humillación, el maltrato, y que tampoco le perdonará que él no haya hecho nada para evitarlo. Pero cuando reciba la primera amenaza de los amigos de su primo, sabrá que a partir de ahora ellos son los únicos que le pueden proteger. Se repite que era inevitable.

***

Con Aitor es siempre lo mismo. Preocuparse desde la distancia, juzgar a los demás desde la superioridad ética que le da su cátedra de filosofía. Pero cuando hay que mojarse, Aitor se queda ahí, con el dedito de juez, señalando, y a salvo. A salvo de todo. Es el más listo. Siempre lo ha sido. Aníbal huyó de la peor manera posible, y Kepa también, que lo suyo estará sufriendo. Y yo, yo soy la que lo hace todo mal, al huir y al regresar, y en el entremedias. Casi mato a mi madre con una silla, llevo diecisiete años sin hablar con mi padre, me he divorciado, estoy desempleada y no he procreado. Si me comparo con Aitor, siempre pierdo. Él se fue de casa pacíficamente, yo dejando cicatrices. Me pagué la carrera trabajando de camarera; él se la pagó trabajando en la librería de la que acabó siendo también socio, hizo el doctorado, sacó las oposiciones y hasta la cátedra. Yo aprobé periodismo de milagro y trabajé en un periódico de mierda. Él rompió con su padre limpiamente. Jamás le pidió dinero ni se acercó a él para beneficiarse de sus actividades; lo dio por inexistente sin mayores aspavientos ni rencores. Yo sí, yo me aproveché todo lo que pude, como mi madre, hasta que comprobé en mi propio cuerpo su brutalidad. Aitor limpio, yo sucia. Se ha preocupado de que ama esté bien. La apoya económicamente, a sabiendas de que nuestro padre todavía lo hace. Pero eso no le importa; ha sido capaz de mantener su relación, olvidarse de lo que le hace daño de ella. Y visita a Kepa, le escribe, le aconseja sobre cómo «volver al mundo». O eso me dijo mi madre, con esa misma expresión que no puede ser de otra persona más que de Aitor. Kepa, que ha dedicado la vida a crearse un infierno a su medida y a arruinar las vidas de quién sabe cuántas personas más. Fui una vez a verle a Cádiz y no volví. Le he escrito tal vez diez cartas en quince años.

Aitor y yo hemos vivido todo este tiempo en la misma ciudad y nunca estuvo en ninguno de mis pisos, yo tampoco he estado nunca en su chalet adosado de Pozuelo (que si el transporte, que si el trabajo, que si los horarios cruzados);

tiene dos niños de los que no recuerdo la edad y a los que habré visto dos o tres veces, y a su mujer, Blanca, lo mismo. A su boda no fui porque la hice coincidir con un viaje con Luis a Brasil. Nadie vino a la mía porque no hubo. Nos casamos por lo civil con dos testigos: Rocío y su novio de entonces. No le llamo, no le pido ayuda, no cuento con él para nada porque siempre, no importa el motivo, saldrá a relucir su superioridad moral.

* * *

Elvira mira horrorizada a su hijo que, de un solo trago, se bebe la botella de gaseosa que acaba de sacar de la nevera. Eructa, se tambalea, y la mira con descaro. Aníbal lleva unos pantalones negros ajustados, una camiseta del mismo color en la que se puede leer claramente la palabra Eskorbuto, una cazadora de cuero y unas botas de militar que le llegan hasta media pantorrilla. De su bolsillo delantero sale una cadena gruesa que se une con el bolsillo trasero y de su oreja cuelga un pendiente de aro que Elvira no había visto antes.

–¿Qué miras, vieja?

–Hijo, por dios, ¿cómo me hablas así?

Aníbal se ríe con una carcajada borracha, vuelve a eructar.

–No te lo tomes a mal, ama, es un decir. ¿Qué pasa, no duermes?

–¿Cómo voy a dormir? Estaba preocupada por ti. Mira la hora que es… casi ha amanecido y en nada tienes que levantarte para ir a clase. ¿Dónde has andado?

–En Bilbo, joder, ya te dije...

–Te dije que no fueras. ¿Qué has hecho toda la noche? Si no te puedes ni tener en pie… y apestas. Qué aspecto tienes, por dios, ese pendiente. ¿Me estás escuchando? Pareces uno de esos gamberros que andan meando por las esquinas y robando a la gente. Ya verás cuando vea tu padre ese pendiente…

–Mi padre, dice. ¿Cuándo me va a ver mi padre, cuando venga a darte otra paliza? No seas pringada, ama.

–Pues gracias a él te puedes comprar lo que te da la gana, esa ropa horrorosa...

–Ama, despierta, ese tío es un hijo de puta. Mira cómo te trata. Un puto facha. En el insti la peña me ladra, me dicen que aita es un txakurra, un madero...

–Estoy muy cansada, hijo, y tus hermanos se van a despertar si sigues dando gritos. Lávate un poco y vete a la cama. Te voy a despertar a las siete.

Elvira se vuelve acostar, pero no se queda dormida. Txakurra. Perro. Un perro al que se le puede y debe matar porque es un perro español y traidor, porque es un perro que no pertenece, que contamina, que ensucia. Claro que Amadeo es un «txakurra». Y un perro que está contaminando con su mierda a sus hijos. Y ella sin enterarse. De nada. Mentirosa. Claro que se entera. En el pueblo seguro que se hablan barbaridades. Ya ha empezado a notar que hay gente que ni la saluda. No puede dejar de dar vueltas. Se levanta y se va a la cocina. Se sienta a la mesa, espera a que pase el tiempo intentando no pensar en nada. Lo consigue. Pasa casi una hora perdida en el blanco de los azulejos. Mira el reloj y por fin, ya son las 7.00. Ya puede ponerse en marcha. Pili llegará pronto para acompañar a Amaia al colegio y después ocuparse de hacer las compras. Prepara la cafetera pequeña –no se acuerda de la última vez que usó la más grande– y calienta un gran cazo de leche para todos los niños. Saca de la despensa el Colacao, las madalenas y las galletas. Pone cuatro cuencos en la mesa, sabiendo que uno de ellos se va a quedar sin usar. Se dirige primero a la minúscula habitación de Amaia, a la que accede a través de su propia habitación. Al ser la única niña, Elvira quería que desde el primer momento tuviera su propio cuarto. Durmió en la habitación de matrimonio hasta que la cuna se le hizo pequeña. Las pocas veces que Amadeo dormía en casa protestaba por la presencia de la niña en la habitación, pero Elvira no movió la cuna. Cuando no hubo más remedio que comprar una cama, Elvira decidió hacer construir un tabique en la habitación de matrimonio y destinar un pequeño espacio a la niña. Dormía con la puerta abierta y muchas noches Amaia se metía en la cama de la madre buscando su calor.

Elvira llama a Amaia desde la puerta. Está dormida, así que se tiene que sentar en su cama y acariciarla durante unos minutos hasta que abre los ojos.

–Vamos, bonita, ya es hora de levantarse. Pili va a estar aquí enseguida.

–Hoy he soñado con una foca.

–Qué bien, hija, me lo cuentas desayunando.

–No, que se me olvida. Veíamos juntas la tele. *Barrio Sésamo*. Y luego ella me cantaba una canción.

–Qué divertido. Anda, vete levantándote, que tengo que despertar a tus hermanos.

–Jo, ama, que no te he acabado de contar el sueño…

–No me hagas pucheros y arriba.

Elvira no da tiempo a que su hija replique. Se dirige ligera al final del pasillo, donde están las habitaciones de los niños. Abre la primera puerta y le viene una bocanada de aire que le recuerda a la jaula de los monos del parque de Portugalete. Aitor duerme. En la cama de al lado la mira, con los ojos como platos, Kepa. Elvira se incomoda ante la mirada de su hijo. Desde la puerta le pide que despierte a su hermano y vayan a desayunar. Abre la puerta de la habitación de al lado, que huele todavía peor: animal encerrado, tabaco, alcohol, sudor rancio. Aníbal ronca encima de la cama, con la misma ropa con la que le ha visto hace apenas dos horas. Sólo se ha quitado las botas, que reposan en el suelo cubiertas de mugre. Elvira sabe que están salpicadas de vómito, como siempre. No se molesta en despertarle, pero da un portazo que hace temblar toda la pared.

Desayunan a destiempo, cuanto más mayores, más tarde se sientan a la mesa. Pero Elvira lo prefiere así. Si no, siempre acaba estallando alguna riña que no puede controlar.

Cuenta los minutos hasta que oye la llave de Pili introducirse en la puerta.

–Buenos días, Elvira. Qué cara de cansada tienes.

–Hola, Pili. Sí, he pasado una noche de perros a cuenta de Aníbal.

–¿Otra vez hasta las tantas?

–Acaba de llegar como quien dice.

–Hija, parece que fue ayer cuando le cambiaba los pañales... ¿Y no va a clase?

–No puedo pelearme con él.

–Elvira, ese niño se te está subiendo a la chepa.

–...

–Necesita un padre.

–Y tú meterte en tus asuntos y hacer tu trabajo con la boca callada, que para eso te pago.

Elvira está harta de que todo el mundo le señale lo obvio: que su marido es un cerdo, que los niños están creciendo descontrolados, que no tiene ni idea de cómo sacar la casa adelante. Su madre se lo dice a todas horas. Echa de menos, cada vez más, a su padre. Murió cuando Elvira apenas tenía dieciséis años. Poco después de entrar a trabajar en la Naval, tuvo un grave accidente. Era un hombre de campo, sin estudios, sin formación, sin experiencia trabajando alrededor de grandes máquinas. En un momento de despiste se paró demasiado cerca de una grúa que estaba descargando una viga de acero la cual, en su movimiento oscilante, le dio en el pecho. La caja torácica y los pulmones le quedaron dañados de por vida. Volvió al trabajo meses después –no se podía permitir una incapacidad– pero su salud fue siempre delicada. Cuando Elvira entró en la adolescencia, el padre empezó a decaer. Se fue apagando poco a poco, debilitando como un pajarito, hasta que contrajo una neumonía que fue incapaz de superar. Murió una tarde que Elvira se había quedado a su lado para cuidarlo. Elvira jamás pudo borrar de su retina la imagen del padre ahogándose en sus brazos.

Si su padre hubiera vivido tanto como su madre tal vez le hubiera aconsejado no casarse con Amadeo, hubiera visto al hombre feroz detrás de la fachada de señorito, o por lo menos le hubiera ayudado con los niños, hubiera paliado la ausencia del padre. Todo esto piensa Elvira mientras se ducha, se aplica la crema en el cuerpo, en la cara, se arregla el pelo, se maquilla, elige el vestido de punto que se va a poner ¿para qué? Oye en la distancia que Pili ya se marcha con Amaia, que se irá de nuevo triste a la escuela porque no se ha despedido de ella. Elvira acaba de arreglarse. En la cocina se sirve un café negro. Va al salón. Abre el mueblebar. Coge la botella de coñac y le echa un buen chorro al café.

***

Aitor sabía que nuestro padre estaba planeando su vuelta. Desde hacía ya meses. También sabía que ha estado viviendo en Argentina doce años, que huyó poco antes de que detuvieran a Carlos. Así que Carlos posiblemente tenía razón y fue él quien le denunció para poder salir del país. Consiguió vengarse. ¿Qué será ahora de Carlos? Supongo que habrá salido ya de la cárcel, a no ser que al final consiguieran cargarle con algo más que lo de las armas. ¿Acabaría la carrera de derecho? ¿Sabrá algo de mí? Nunca me perdió la pista. Si publico todo esto, seguro que volverá a aparecer en mi vida. La pregunta es cómo.

–No me lo has preguntado nunca.

–Pero ¿no pensaste que me podía interesar saber si estaba vivo o muerto?

–Mira, Amaia, un día me dijiste que no querías volver a saber nada de aita, de ninguno de nosotros. Y que cuando quisieras algo, ya nos lo dirías. Yo no he hecho más que obedecerte.

–Vas de bueno, Aitor, pero eres un cínico.

Le oigo respirar hondo al otro lado del teléfono.

–Si me has llamado para insultarme, no te voy a poder ayudar.

–No quiero que me ayudes, sólo que me des la información que te pido.

–Lleva allá doce años. En un rancho, creo que en el norte. Se ha dedicado a criar cabras, creo. O igual son ovejas, no sé.

Me sale una carcajada estridente. Esto es el colmo del esperpento.

–Ya, parece increíble, pero según ama le ha ido muy bien.

–¿Y tú has hablado con él en todo este tiempo?

–No. Todo lo sé por ama.

–¿Y por qué a mí no me ha contado nada?

–Eso lo tendrás que resolver con ella.

–¿Y cuando vuelva, qué? ¿Pretende que le demos la bienvenida, que nos reunamos, que celebremos las Navidades juntos?

–No sé qué pretende, tampoco sé qué quiere hacer ama. Para ella esto tiene que ser muy difícil. Más que para nosotros.

–Habla por ti.

–¿Cuándo vas a madurar, Amaia?

–Métete la lección de ética por el culo, Aitor.

* * *

Detienen el coche justo delante del muchacho, que no llega a meter la llave en la puerta. El Gaucho y Carlos no necesitan hablarse: salen los dos a la vez con las pistolas en la mano, El Gaucho le da un golpe en la nuca con la pistola, el joven se desmorona. Carlos esposa rápidamente sus manos por la espalda, le arrastran entre los dos y le meten en la parte de atrás del coche. La cabeza del joven cae encima de las piernas de Amadeo, que lo mira espantado, se pega contra el cristal y deja que el cuerpo delgado del joven se deslice y encajone entre los asientos delanteros y traseros. Ahora la cabeza roza sus zapatos.

–Pero ¿qué hacéis, bestias? ¿Dónde os lo lleváis?

–Callate, tarado, y vigilá que no se mueva.

–¿Cómo se va a mover, si le has dejado cao?

Carlos y El Gaucho no se hablan. Parecen tener claro adónde se dirigen. Amadeo mira fijamente al joven, que permanece inconsciente durante el trayecto de más de media hora. Amadeo no reconoce las carreteras, tampoco puede ver demasiado porque, a pesar de que apenas son las ocho de la tarde, ya la noche está muy cerrada; se alejan cada vez más de carreteras principales, hasta que llegan a una pista de tierra.

–Parad el coche, por favor, que si no me voy a acabar meando encima de este pobre tipo.

Carlos frena en seco y, sin mirar a Amadeo, musita:

–Baja y mea de una puta vez.

Amadeo sale del coche y al cerrar la puerta ve que el joven comienza a moverse. No dice nada. Se dirige rápidamente hacia unos matojos. Tiene las manos entumecidas por el frío y le cuesta empezar a orinar, pero una vez que empieza cuenta hasta treinta y tres segundos; con la última fuerza del chorro se entretiene haciendo dibujitos en la tierra, se sacude lentamente, se acomoda la camisa, se sube la cremallera con la misma parsimonia. Durante esos segundos ha oído gritos, abrir y cerrar de puertas, golpes secos. No quiere descubrir lo que pasa. Al girarse en dirección al coche ve cómo El Gaucho y Carlos cierran el maletero y se vuelven a montar en él.

–¿Qué habéis hecho con el tipo?

–Le hemos acomodado en la parte de atrás, para que vos vayás tranquilito.

–¿Adónde lo llevamos?

–Ya lo verás. Por un día calla la puta boca, Amadeo.

Amadeo obedece. Intuye lo que va a pasar y siente una mezcla de miedo y excitación. Adrenalina. Él ha estado en esa misma situación; la reconoce perfectamente y ahora está del otro lado. Conducen un cuarto de hora más por la pista de tierra, hasta llegar a una construcción de hormigón extraña, entre caseta y pequeña nave industrial. El Gaucho y Carlos salen del coche, abren el maletero y sacan al joven que les mira espantado. No habla. No grita. Amadeo ve la escena desde dentro del coche, como si estuviera asistiendo a una representación, la representación de su misma historia hace apenas dos años. Sus compañeros avanzan arrastrando a su presa hacia la caseta. Mientras El Gaucho sujeta al joven, Carlos saca una llave y abre la puerta. Se gira hacia el coche y hace un gesto a Amadeo para que vaya. Amadeo no reacciona. Ve cómo se cierra la puerta tras ellos. No sabe cuánto tiempo pasa; es la fuerte lluvia contra la carrocería del coche lo que le saca del estupor; decide salir corriendo del coche y entrar en la nave. Sigue el halo de luz que llega desde el fondo y se encuentra al joven con el torso desnudo, colgado de las muñecas, los dedos de los pies apenas tocando el suelo, la cabeza colgando. Lo ve y se ve. Sabe perfectamente cuánto dolor está pasando, puede sentir el crujir de sus brazos, el desgarro de las muñecas, el pánico a lo que está por venir.

–Venite, Amadeo, venite. ¿Te suena la circunstancia?

Amadeo se acerca, mira a Carlos, que se ha quitado la chaqueta y arremangado la camisa blanca en la que se podrían ver, si hubiera suficiente luz, salpicaduras de sangre. Carlos está mirando al joven, concentrado, andando en círculos a su alrededor, midiendo la distancia entre su puño y las costillas, su puño y el hígado, su puño y los riñones, su puño y los testículos. A Amadeo le pilla desprevenido la rapidez de los movimientos de Carlos. En cuestión de pocos segundos y danzando alrededor del cuerpo que cuelga como un saco, asesta con precisión tres puñetazos en cada lugar: pah, pah, pah; pah, pah pah; pah, pah, pah; pah, pah, pah; pah, pah, pah.

–Bárbaro, Carlitos. ¡Esto no te lo enseñé yo!

Carlos se aleja del cuerpo, del que apenas se oyen salir unos quejidos. Amadeo sigue fascinado, alucinado. El Gaucho se acerca y da pequeños empujones al joven casi inconsciente. Saca un paquete de tabaco y enciende un cigarrillo. Amadeo sabe lo que viene después. El Gaucho echa el humo cerca de la cara del chico, pero éste no reacciona. Le acerca el cigarro a la boca y tampoco. Ahora acerca la brasa cerca del pezón. Se queman unos pelillos, lo acerca más, se quema la piel. Huele a pollo frito. Amadeo comienza a sentir un retortijón, pero no se mueve. Tampoco se mueve el joven, a pesar de la quemadura en el pecho, la quemadura en la tripa, la quemadura en un hombro, la quemadura en la espalda.

–¿Qué, lo descolgamos? Igual ahora sí que nos cuenta algo.

Amadeo está tan mudo como el joven, a quien han comenzado a descolgar. Su cuerpo cae inerte sobre el suelo. El Gaucho le da un par de patadas suaves.

–No sé cómo vamos a despertar a este pibe. No parece tener muy buena salud. Creo que con la última ronda le dejaste para el trapo, Carlitos.

–Tráenos un cubo de agua de ahí al fondo, Amadeo.

Amadeo no se mueve. Contempla al muchacho y también él le da un par de patadas suaves. Después una un poco más fuerte.

–Amadeo, coño, vete a por el cubo de agua.

Amadeo se dirige a un pequeño fregadero al fondo de la estancia y llena mecánicamente el cubo. Lo coge y, sin que le digan nada, se lo tira por encima al muchacho, que ahora reacciona ladeando la cabeza lo suficiente como para mirar hacia arriba y ver a los tres hombres.

–Por favor...

Ésa es la señal para que El Gaucho y Carlos lo incorporen y lo sienten en una silla a la que lo atan, no tanto porque se les pueda escapar, sino porque no se tiene sentado por sí solo. Amadeo contempla la escena. Escucha a Carlos y El Gaucho hacer preguntas al joven, pero no procesa las palabras. Sabe que lo que le están preguntando no sirve absolutamente para nada; sabe que ellos saben que ese muchacho que cada vez tiene la cara más tumefacta por los golpes no sabe absolutamente nada; sabe que todo es puro teatro, excepto los golpes, excepto la sangre. El sonido de las palabras no cuenta; sólo cuenta el de los huesos de los nudillos contra los pómulos, contra la mandíbula, contra el cráneo. El Gaucho se aleja y vuelve con una bolsa entre las manos; se la pone al muchacho en la cabeza. Amadeo ve la boca contra el plástico, que se ensucia de sangre. El Gaucho saca la bolsa, mira a Amadeo, sonríe, se la vuelve a poner. Amadeo vuelve a ver la misma boca, cada vez más sucio el plástico. El Gaucho repite tres, cuatro veces. Carlos se pasea, buscando algo. Lo encuentra. Unas tenazas. Se acerca al joven y le coge la mano derecha. Es la primera vez que Amadeo lo oye gritar de verdad. Y en el mismo momento que oye ese sonido que no parece humano, Amadeo siente un calor entre sus piernas, segundos después, un olor nauseabundo. No ha visto nada, no ha podido mirar, pero sus tripas no han soportado esa cacofonía desgarrada. Ni Carlos ni El Gaucho se han dado cuenta, demasiado concentrados en su quehacer. Otro grito. Amadeo se tambalea. Otro más. Amadeo se aleja unos pasos. Otro. Amadeo se derrumba en un sillón desvencijado. Silencio. Ya no oye nada.

–¿Dónde estás, Amadeo? Te necesitamos aquí.

–Te dije que este boludo no serviría para esto. Todo boca, el tarado. Andá a buscarlo.

Carlos se dirige al rincón donde se esconde Amadeo. En la penumbra puede distinguir su mirada desorbitada, sus manos crispadas agarrándose a los brazos del sillón.

–¿Qué cojones haces aquí? Vuelve allá que te necesitamos.

Amadeo se retuerce en el sillón.

–Joder, Amadeo. ¿Te has cagado? No seas maricón y levántate ahora mismo.

–No quiero verlo. ¿Qué le vais a hacer ahora?

–Ya lo sabes.

–Pues acabad de una puta vez y vámonos de aquí.

–Para eso te necesitamos, para que acabes tú.

–¿Qué? Yo no le pienso poner la mano encima.

–Claro que sí, Amadeo. Por su bien y por el tuyo. Vamos. Ven conmigo.

Amadeo sigue a Carlos hasta donde está el joven, ya desatado de la silla y tirado en el suelo. Su mano derecha es un muñón sanguinolento, su cara es una pulpa en la que no se le reconoce ni un solo rasgo.

–Gaucho, dale la pistola a Amadeo.

–¿Para qué? ¿Tan pronto se acaba la fiesta? Descansá un rato y luego le damos otra ronda, un poquito picana...

–Esta vez no, Gaucho. Míralo, con éste no hay descanso que valga.

–¿Estás seguro, che? Mirá que eso sí que no tiene arreglo.

–Dale tu arma a Amadeo.

El Gaucho extiende la mano con la pistola a Amadeo, que la contempla aterrado.

–Estás loco, Carlos. Nunca he matado a nadie y no voy a empezar ahora.

–Hoy te toca. Apunta a la cabeza y vacía el cargador.

–No.

Amadeo tiembla. El Gaucho sonríe.

–Che, Carlitos, qué idea tan macabra. A ver, ¿le convenzo yo? Mirá, Amadeo, cada vez que digas que no, le arrancaré una uñita al boludo este. Después los dientes. A ver si tenés tanta paciencia.

El Gaucho se acuclilla y toma la mano izquierda del joven. Amadeo sigue paralizado.

–Dispara, Amadeo.

–No.

Carlos resopla con hartazgo. Toma la pistola. Apunta primero a Amadeo y, sosteniéndole la mirada gira levemente el torso y descerraja el cargador en la cabeza del joven. Amadeo tiene una pequeña convulsión con cada bala. El Gaucho, que todavía mantiene la mano izquierda del joven entre las suyas, queda salpicado de sangre y materia gris. Mira a Carlos con sorpresa y decepción.

***

Hace dos días que no me ducho. Cuatro o cinco que no salgo a la calle. He perdido la cuenta, la noción de las horas y los días. Duermo cuando tengo sueño, como cuando me apetece, bebo tal vez un poco más de la cuenta. Tal vez. Y escribo. Escribo. Escribo. No quiero hacer otra cosa. Escribo y sueño con lo que escribo, que no sé si está en mi imaginación o en mi memoria. A veces me despiertan las pesadillas. Vuelvo a pasar miedo por las noches. Escribo escenas intermitentes. Algunas, las más violentas, van surgiendo casi sin esfuerzo. Todo eso que estaba dentro ahora está aquí, delante de mí. No quiero releer, no creo que lo soportara. Sólo escribo. El teléfono apagado y la conexión a internet desenchufada. El mundo, ahí afuera. Que se quede fuera. No quiero enterarme de si ya ha llegado o no.

* * *

Es más de la medianoche y Elvira se está quedando medio dormida, de sueño o de los efectos del coñac. Qué más da. Suena el teléfono. Se mueve lenta a cogerlo. No le importa que despierte a los niños.

–¿Sí?

–¿Por qué has tardado tanto en coger?

–Pues porque estaba a punto de quedarme dormida.

–¿Sola?

–¿Qué pasa, por qué llamas a estas horas?

–¿Estás borracha?

–No, dormida.

–¿Quieres hartarte de percebes y cigalas todas las noches?

–No. Estoy cansada, Amadeo, ¿te pasa algo, qué quieres?

–¿Ni siquiera me preguntas desde dónde te llamo?

–¿Para qué? ¿Para que me contestes que a mí qué me importa?

–Oye, ¿tienes la regla?, ¿qué coño te pasa?

–Amadeo, voy a colgar.
–No, no, espera. Necesito contarte algo.
–¿Por qué no me lo cuentas en persona? ¿Cuándo vuelves? Tenemos un problema en casa.
–Sabes que no puedo volver. Además, he conseguido un trabajo en Galicia.
–Amadeo, es más de medianoche... no entiendo... ¿Cuándo vuelves a casa? Estoy muy preocupada y...
–Tengo mucho que hacer aquí.
–Pero ¿ya has aceptado el trabajo?
–No, bueno, te llamo en otro momento, que veo que ahora no estás entendiendo nada.
–Amadeo, te estoy diciendo que necesito que vengas, que Aníbal...

Amadeo ha colgado. No quiere oír hablar de Aníbal. Está cansado. Decepcionado. Solo. Quería dar a Elvira buenas noticias, pero está demasiado pendiente de ese hijo suyo como para darse cuenta de lo mal que está él, lo mucho que está intentando no cagarla, salir del agujero en el que se ha metido. Pero ella sabe, se dice Amadeo. Ella sabe de sobra, a pesar de que nunca pregunta. A veces le gustaría que le preguntara, poder compartir con ella sus preocupaciones, sus miedos, como antes. Pero ¿cómo contarle? Amadeo llamaba para darle la solución a todos los problemas: mudarse la familia entera a Galicia. Él estará protegido, Aníbal dejará de andar con esos delincuentes, Elvira cambiará de aires y estará más sana, incluso se podrá traer a su madre si quiere, y los chavales son todavía jóvenes, se dice Amadeo, encontrarán otros amigos. Volver a empezar todos. Todavía estamos a tiempo, piensa. Sí, borrón y cuenta nueva. Todo tiene arreglo.

No, Elvira no entiende nada. ¿Qué hará Amadeo en Galicia? Va hacia su habitación, pero antes se detiene en la de Aníbal, contempla su cama vacía. La angustia le atenaza el estómago, una angustia que sólo conseguiría calmar con otra copa. Pero no, ya está bien. Cierra la puerta y sigue caminando hacia su habitación. En su cabeza todavía resuenan las palabras de Aitor diciéndole que a Aníbal le llaman camello y yonqui, que uno de su clase le aseguró que va a acabar con un tiro en la nuca y otro le dijo «camello bueno, camello muerto» y que tipos como él estaban envenenando a la juventud de Euskal Herria y que son agentes de los españoles y... Elvira necesita hablar con Aníbal, pero hace dos días que no aparece por casa. Se mete en la cama. Ya no se acuerda de la llamada de Amadeo.

* * *

La muerte de Aníbal la recuerdo como si fuera algo que le hubiera pasado a otra persona. O no. Porque pensar en esa época todavía me hace caer en una tristeza profunda, un desasosiego viejo. Me quiero imaginar a mi hermano dando saltos en el salón de casa con la música a tope, arropándome en la cama cuando tengo miedo, ahuyentando mis monstruos antiguos y nuevos, explicándome todas esas cosas que no entiendo. No quiero escribir su muerte: si estaba solo o acompañado, si pensó en mí cuando se le iba la vida por la jeringuilla, si en algún momento se arrepintió de lo que estaba haciendo. A Aníbal le dejo seguir descansando.

* * *

Elvira escucha el timbre desde el sopor de su sueño artificial. Llaman una, dos, tres veces. Se levanta del sofá tambaleante, se dirige a la puerta apoyándose en las paredes del pasillo. Se asoma a la mirilla y ve a Carlos.

–Elvira, te oigo. Abre la puerta, anda.

Elvira gira la llave en la cerradura, quita la cadenilla, descorre el cerrojo, abre la puerta y, sin mirar a Carlos, se da la media vuelta y camina hacia el sofá.

–¿Estabas dormida? Si quieres me voy.

–Deberías haberme avisado. Ya ves cómo me encuentras.

Elvira se tumba en el sofá. Su bata se abre y deja ver sus piernas desnudas, parte del pecho. No se tapa. Carlos se sienta en un sillón frente a ella.

–Si vienes a preguntarme por Amadeo, no he vuelto a saber de él.

–Yo sí. Tenemos un amigo común que fue a hacerle una visita hace unos días. Parece estar bien. Sigue en Galicia.

–Pues dile a ese amigo que le recuerde que todavía tiene tres hijos vivos y que si no quiere que se le mueran de hambre, me haga un ingreso.

–¿Necesitas dinero?

–¿Tú qué crees?

Carlos saca su cartera y de ella seis billetes de cinco mil pesetas.

–¿Te llega de momento con esto?, le acerca los billetes.

Elvira se incorpora en el sofá, extiende la mano hacia Carlos y, en vez de tomar los billetes, agarra suavemente su muñeca para que se acerque a ella. Carlos se deja llevar, se acerca despacio, hasta tener su cara casi pegada a la de Elvira. Ésta, todavía sujetando con una mano la muñeca de Carlos, usa la otra para agarrar su nuca y forzar un beso en los labios. Carlos la empuja con brusquedad. Se incorpora.

–¿Ya no te da morbo follarme, Carlos?

La contempla tirada en el sofá, casi desnuda, con el pelo sucio, la mirada vidriosa, los labios cuarteados resecos. Le da vergüenza no sentir pena por ella. Le da vergüenza sentir vergüenza ajena.

***

Un sobresalto estridente. Llaman al timbre del portero automático. Las siete de la tarde. ¿Será otra vez ella? No respondo. No espero a nadie. Insisten. Una, dos, tres veces. Que me dejen en paz. Pasan unos segundos. Vuelven a insistir. Qué desasosiego. Otra vez. No van a parar.

–¡¿A ver?!

–Amaia, soy Gema. ¿Bajas o subo?
–No puedo...
–Amaia, si no bajas, voy a subir. Ábreme.
Me la imagino aporreando la puerta y dando gritos para que la abra.
–Vale, sube.
Me miro en el espejo de la entrada. Tengo un aspecto horrible. En pijama de franela, el pelo grasiento, la cara sin brillo, la sombra del bigote sin depilar, los ojos hundidos. Acerco la nariz a mi axila derecha, huelo a sudor rancio. En la cocina se apilan los cacharros sucios, las botellas de vino vacías. Hay ropa tirada encima del sofá, libros por todos sitios. Cojo un montón de ropa y la meto hecha un ovillo en la lavadora. Hago hueco para un par de platos más en la fregadera, que ya rebosa. Suena el timbre. Ya está aquí.
–Voy...
Abro la puerta y en un nanosegundo Gema pasa de la sonrisa al estupor.
–Joder, Amaia...
–Pasa, anda. No me mires así, coño, ya lo sé.
Gema inspecciona la pequeña buhardilla con la nariz arrugada.
–Buf. ¿Por qué no te das una ducha rápida y salimos de aquí?
–No me apetece.
–Te llevo llamando un montón de días.
–Ya... tengo el teléfono apagado.
–¿No jodas? No me había dado cuenta.
–Anda, no te quedes ahí parada, siéntate en el sofá. ¿Quieres un vino?
–¿Te queda alguna copa limpia?
–Gema...
–Perdona, pero es que está todo guarrísimo. Incluida tú. ¿Qué te pasa?
–Nada, me has pillado desprevenida.

–¿Cuántos días llevas desprevenida? ¿Cuánto llevas sin salir de casa?

–No sé. Qué más da.

–Dúchate y vamos a dar un rule.

–No quiero salir.

–¿Por qué?

–Porque no me da la gana, Gema. ¿A qué has venido?

–A ver si estabas viva. Amaia, no puedes esconderte eternamente.

–¿Esconderme de qué?

–Joder, ¿te crees que soy idiota?

–¿Le has visto?

–Pues sí, es imposible no verle. Está como un elefante y se pasa el día de potes y paseándose por todo el pueblo.

–Prefiero no saber nada.

–Perdona, Amaia, pero no te puedes quedar aquí encerrada.

–Hasta que has venido tú he estado muy tranquila.

–¿Te has mirado al espejo? No tienes pinta de haber estado tranquila. Y en tu encimera hay más botellas que en una vinoteca. Me apuesto a que en la nevera tienes una lechuga rancia y poco más.

–Hay yogures también. ¿Quieres uno?

–¿Cuánto llevas sin salir?

–Que no sé, pesada, unos días. Bajé a la plaza donde las aldeanas.

–Ya. ¿Y sin verte con gente?

–Eso sí que no sé.

–Semanas, Amaia. Si todavía no has hablado con nadie de tu padre, llevas semanas.

–He estado escribiendo.

–Me parece muy bien, pero no te puedes aislar así.

–¿Me oyes? He estado escribiendo.

–¿La novela del marido muerto?

–No, otra cosa. Lo de aquí...

–¿De tu padre?

–Sí. Todo eso.

–Tu padre está como una cabra. Te deberías dejar de escrituras y preocuparte por eso ahora.

–¿Le ves con mi madre?

–Sí, alguna vez, pero las menos. A tu madre me la encontré ayer.

–¿Te pidió que vinieras?

–Está muy preocupada. Me dijo que hace unos días vino y no le abriste la puerta. Y que no contestas al teléfono, ni a ella ni a Aitor.

Me entra un cansancio muy grande. Todo lo que no quería que ocurriera... así, ahora, de repente. Con Gema entra todo de nuevo. Tenía que haberme ido a Madrid. Puto dinero. Puto alquiler.

–Así que anda por ahí. ¿Está muy gordo?

–Tremendo. Y va vestido con pantalones rosas y pañuelos al cuello...

–¿Y anda por el pueblo como si nada?

–Sí, le va contando sus historias a la gente. De sus cabras, luego dice que si todo el mundo le ha abandonado, que si él hablara, que tu madre no le quiere, que los hijos tampoco, que se va a tener que ir a un hotel.

–¿Así que no están bien?

–Amaia, no lo sé. Sólo te digo que desde fuera se ve todo muy extraño. Y tu madre ayer tenía mala facha.

–¿Te ha pedido mi madre que la llames después de estar conmigo?

Gema se calla. Asiente.

–Está bien, no te preocupes, txiki. La puedes llamar. Dile que estoy bien. Que me dé unos días y que se vuelva a pasar.

–¿Por qué no te duchas y nos vamos a tomar algo, de verdad? Esto es muy deprimente. Mientras te espero te recojo un poco la cocina.

–No seas amatxu, anda.

Se ríe. Se levanta del sofá. Se quita la chaqueta que todavía llevaba puesta.

–No puedo evitarlo. Después de parir dos veces, ya sabes, no hay vuelta atrás.

–Vale, venga, pero pasamos el Puente y nos vamos dando un paseo hasta Algorta, ¿hace?

–Sí, lo que quieras. Pero vete a la ducha, que apestas.

* * *

Amadeo no sabe cómo tratarla. Apenas la conoce. Cuando él se fue de casa Amaia tenía once años. Cuatro años no es nada en la vida de Amadeo, pero en la de Amaia es una eternidad. A él se le pasaron tan deprisa, ni se dio cuenta de que les estaba abandonando. Se lo repite a sí mismo, que en realidad no se dio cuenta. Se pregunta cómo habrán sido esos cuatro años para ella, con el derrumbe de Elvira, las secuelas de la muerte de Aníbal, pasando necesidades, si le echaría de menos. Pero no, no quiere pensarlo demasiado. Se convence: él también estaba desesperado, hundido, en esas situaciones uno no obra bien, Elvira tampoco supo gestionar las cosas, él no podía estar ahí, hacerse cargo, había peligros... Elvira lo entiende, ella también vio pasar esos años como si estuviera dentro de una burbuja empañada. Ahora Amadeo se ha puesto las pilas y esa niña tiene que darle otra oportunidad, confiar en que a partir de ahora las cosas van a ser diferentes, que va a cuidar de su familia, comprometerse, ser un padre de verdad. La violencia, los abusos, los gritos, todo eso era coyuntural. A partir de ahora, Amadeo se dice un hombre nuevo y tiene toda la intención de demostrárselo a su hija.

Quiere complacerla, pero Amaia no se deja. Insiste en que le explique el pasado. ¿Para qué?, se pregunta Amadeo. Amaia ya sabe lo que necesita saber; de ello se encargaron en el pueblo. Él no puede confirmar, tampoco puede negar. ¿Darle detalles, de qué? Lo que quiere Amadeo es que su hija no le mire con desconfianza, o peor, con odio, con desprecio, que no aproveche cada oportunidad para escarbar en la herida. La ha invitado a pasar las vacaciones con él en Galicia. Intenta acertar, pero se equivoca, y Amaia no se da cuenta de que él es nuevo en esto. Nunca ejerció de padre con sus hijos adolescentes. Con Aníbal dejó de comunicarse con palabras desde que cumplió los trece y para cuando Aitor llegó a la adolescencia, Amadeo ya se había ido de casa. Con Kepa sólo recuerda juegos de niños, con Amaia hacerle cosquillas en esa tripita gorda que tenía. La presencia de Amaia le alegra y al mismo tiempo le perturba, le remueve, le hace más consciente de todas esas cosas de su biografía que le atormentan, esas debilidades que le avergüenzan. Cuando ella está en casa, Amadeo vuelve a tener pesadillas. O, mejor dicho, vuelve a tener la pesadilla, la recurrente. Se ve colgado de las muñecas como un cerdo, a veces su cara no es la suya, a pesar de ser él, sino la de aquel muchacho. Carlos le pone la capucha y Amadeo se ahoga. Se ahoga. Siempre se ahoga.

* * *

Vuelvo al mundo, como diría Aitor. Decido dejar el teléfono encendido, conectarme a internet. Pierdo el tiempo leyendo periódicos, y surfeando la web. Incluso leo alguno de mis correos atrasados. Tampoco parece que mucha gente me haya echado de menos. Rocío sí. Me dice que tampoco me pase de realista y que les cambie los nombres. Ya veré. Eso es fácil. Pero ahora necesito llamarles por su nombre. A todos. A mí también.

Limpio la buhardilla. Ya era hora. Me estaba comiendo la mierda. Bajo las botellas a reciclar y la basura de días. Esta humedad es insoportable. En la plaza están las aldeanas resguardándose de la lluvia debajo de los toldos. Me acerco donde Maite.

–Hola, Maite, qué frío hoy, ¿verdad?

–Hija, estoy helada.

–¿Te traigo un café caliente del Akelarre?

–Ay, bonita, eres un cielo. Sí, que te lo pongan en vaso. Y luego te regalo unas castañas, que están riquísimas.

Entro en el bar. Le veo al fondo de la barra. Es él. Con un chubasquero amarillo y unos pantalones rojos. Tomando un café. Quiero darme la vuelta pero no puedo. Él me ve. Deja la taza de café en el plato. Ahora sí, me doy la vuelta y salgo corriendo del bar, le oigo gritar mi nombre, corro más, subo las escaleras, paso delante de las aldeanas, pobre Maite, se queda sin café. Decido seguir corriendo, no ir a mi portal por si me ve entrar en él, aunque seguro que le he sacado distancia, pero igual pregunta, igual alguien le dice que sí, que me ha visto entrar ahí, así que sigo corriendo, me meto entre calles, subo hasta Carlos VII. Me falta el aliento, pero aquí sí, aquí sí que me puedo detener. Entro en un bar. Pido un vaso de agua. Me doy cuenta de que estoy empapada. También pido un café. ¿He cogido el teléfono al salir? Sí.

–Ama, soy yo.

–Hija, por fin me llamas. Tantos días sin saber de ti, ahora que te necesito tanto.

–¿Le has dicho dónde vivo?

–¿A tu padre?

–¿Se lo has dicho?

–Hija, es que no he podido negárselo. Me sigue a todas partes. No sé cómo lo hace. En cuanto salgo de casa, le tengo en la chepa. Me está volviendo loca. Y fui aquel día a tu portal y... también ha estado preguntando por el pueblo.

–O sea, que sabe exactamente dónde vivo.

–Deberías hablar con él, por lo menos una vez. Es tu padre y no hace más que decir que no quiere morirse sin volver a estar con su niña.

–¿Está enfermo?

–No, bueno, igual de la cabeza.

–¿Te ha hecho algo?

–Ya sabes que a veces tiene ese pronto y... pero bueno...

–¿Vive en casa?

–Viene y va. Creo que tiene una habitación en Bilbao, en algún sitio. Estuvo varios días sin venir, pero anoche volvió a aparecer.

–Deberías cambiar la cerradura y no dejarle entrar.

–No seas cruel, Amaia.

–Tú haz lo que quieras, pero yo no quiero verle. No puedo, ama. No puedo.

* * *

Amadeo la patea y golpea hasta que Pazos y Alex le separan del cuerpo menudo de su hija, que yace desmadejado en el suelo. Su niña, su niña del alma. Con Carlos. Tenía que habérselo cargado cuando tuvo la oportunidad, dejar que Pazos le diera un tiro en la nuca y lo tirara al mar. Nadie se hubiera enterado. Para entonces, Carlos era ya un fantasma, un apestado con el que nadie quería hacer negocios, una cabeza de turco en potencia. Primero Elvira. Y ahora su niña. ¿Qué habrá estado haciendo con ella? ¿Qué le habrá contado? ¿Le habrá puesto la mano encima? La habrá engatusado con sus buenos modales, con sus libros de mierda. Amayita. La ha pagado con ella en vez de salir a buscar a ese cerdo y romperle las piernas. Pero lo hará. Algún día se las cobrará todas. Ahora ella está encerrada en su cuarto. Alex le dice que está hosca, que apenas se comunica con él y que sí, que tiene marcas en la cara. María cuida de ella. Ya le ha dicho a Amadeo que en cuanto la niña vuelva a su casa, con su madre, ella deja de trabajar para él. Amadeo echará de menos a María, aunque no lo reconozca. Amadeo tiene mucho trabajo. Grandes proyectos. Fabulosas inversiones. Cuando Amaia se escape de su casa y prometa no volver a hablarle nunca más, cuando María se vaya echándole mil maldiciones y augurándole una muerte de perro, Amadeo pensará que al final la niña volverá a él, que como con su madre, no ha hecho nada que no sea reparable, que llegará el día en que su hija le necesite.

***

Oigo un timbre de teléfono en la lejanía. No es el sueño. Suena a este otro lado de la realidad. Es el mío. Abro los ojos. Es de día. Miro alrededor, no lo veo. Sigue sonando, lejano, insistente. ¿Será él otra vez? Salgo de la cama. Se me enredan los pies con la ropa que hay desperdigada por el suelo. El sonido viene del salón. Lo dejé en el brazo del sofá. Esta vez no es él. En la pantalla hay un número desconocido.

–¿Sí?

–Buenos días. Soy el sargento de la Ertzaintza Manuel Ordoño. ¿Es usted Amaia Gorostiaga?

–Sí, soy yo.

–¿Qué relación tiene con Amadeo Gorostiaga?

–Soy su hija.

Índice